名探偵コナン
灰原哀セレクション　裏切りの代償《ペナルティ》

酒井 匙／著
青山剛昌／原作・イラスト

★小学館ジュニア文庫★

黒《くろ》ずくめの組《そ》織《しき》から来《き》た女《おんな》 大《だい》学《がく》教《きょう》授《じゅ》殺《さつ》人《じん》事《じ》件《けん》❶

DETECTIVE CONAN

AI HAIBARA SELECTION

朝《あさ》。

帝丹小学校一年B組《ていたんしょうがっこういちねんビーぐみ》の教室《きょうしつ》は、登校《とうこう》してきた児童《じどう》たちでにぎわっていた。

宿題《しゅくだい》の話《はなし》、昨日《きのう》見《み》たアニメの話《はなし》、新《あたら》しく買《か》ったゲームの話《はなし》——子供《こども》たちが思《おも》い思《おも》いの話題《わだい》で盛《も》り上《あ》がる中《なか》、職員室《しょくいんしつ》へ日誌《にっし》をとりに行《い》っていた吉田歩美《よしだあゆみ》が戻《もど》ってきて、いっそう明《あか》るい声《こえ》を響《ひび》かせた。

「ねえ、聞《き》いた？　聞《き》いた？　今日《きょう》このクラスに転校生《てんこうせい》が入《はい》って来《く》るんだって!!」

学期初《がっきはじ》めでもないこの時期《じき》に転校生《てんこうせい》が来《く》るのは珍《めずら》しい。小嶋元太《こじまげんた》が「へー、ホントかよ？」と声《こえ》を弾《はず》ませると、歩美《あゆみ》は「うん！」と元気《げんき》よくうなずいた。

「さっき職員室《しょくいんしつ》で小林先生《こばやしせんせい》がいってたもん！」

「転校生《てんこうせい》なんてコナン君以来《くんいらい》ですね！」

と、円谷光彦《つぶらやみつひこ》もうれしそうだ。

「どんな子《こ》かなぁ？」

歩美《あゆみ》に聞《き》かれ、元太《げんた》は「カワイイ子《こ》だったらいいなぁ♡」と顔《かお》をニヤけさせた。

「いえいえ、まずは性格《せいかく》が一番《いちばん》ですよ！」

光彦《みつひこ》が人《ひと》さし指《ゆび》を立《た》てて言《い》う。

楽《たの》しそうな三人《さんにん》をしりめに教室《きょうしつ》へと入《はい》ってきた江戸川《えどがわ》コナンは、シラけた表情《ひょうじょう》でランドセルを机《つくえ》の上《うえ》に置《お》いた。コナンにとって、小学生《しょうがくせい》の自分《じぶん》は、黒《くろ》ずくめの組織《そしき》の目《め》をあざむくための仮《かり》の姿《すがた》に過《す》ぎず、誰《だれ》が転校《てんこう》してこようがあまり興味《きょうみ》はない。

「コナン君《くん》はどんな子《こ》だと思《おも》う？」

歩美《あゆみ》に話《はなし》をふられ、コナンは「え？　さぁ…」と首《くび》をかしげた。

「案外《あんがい》、ガリ勉《べん》タイプのムッツリ君《くん》かもよ？」

「歩美《あゆみ》、職員室《しょくいんしつ》でその子見《こみ》なかったのか？」

元太《げんた》に聞《き》かれ、歩美《あゆみ》は「うん…名前《なまえ》なら聞《き》いたけど…」と、職員室《しょくいんしつ》で耳《みみ》にしたその名前《なまえ》を口《くち》にした。それを聞《き》くなり、元太《げんた》は、

「『ハイバラ』？」

と、けげんそうに聞《き》き返《かえ》した。初《はじ》めて聞《き》く名字《みょうじ》だったので、音《おと》を聞《き》いただけではどんな漢字《かんじ》を書《か》くのがピンとこない。

「そうよ！　灰色《はいいろ》の『灰《はい》』に原《はら》っぱの『原《はら》』！」

歩美《あゆみ》が説明《せつめい》すると、光彦《みつひこ》は「変《か》わった名前《なまえ》ですねー…」と戸惑《とまど》ったようにつぶやいた。

「でも『コナン』よりはマシだよな！」

元太《げんた》にちらりと視線《しせん》を向《む》けられ、コナンは（ほっとけ…）と内心《ないしん》でボヤいた。

その時《とき》、廊下《ろうか》の方《ほう》から、コツコツコツ…と足音《あしおと》が聞《き》こえてきた。どうやら担任《たんにん》の小林澄《こばやしすみ》子先生《こせんせい》が、例《れい》の転校生《てんこうせい》を連《つ》れてきたらしい。入《い》り口《ぐち》の戸《と》のすりガラス部分《ぶぶん》に人影《ひとかげ》がうつると、元太《げんた》は「おっ！」と浮《う》かれ、歩美《あゆみ》も「来《き》た来《き》た！」とテンションをあげた。

ガラッ。

戸《と》が開《ひら》き、小林先生《こばやしせんせい》が転校生《てんこうせい》を連《つ》れて入《はい》ってくる。

転校生《てんこうせい》の顔《かお》を一目見《ひとめみ》るなり、児童《じどう》たちは、

「かっ、かわいー♡」

と、声《こえ》をそろえた。

「今日《きょう》からみんなと勉強《べんきょう》する事《こと》になった、灰原哀《はいばらあい》さんです！　みんな仲《なか》よくしてあげてね！」

灰原《はいばら》は、色白《いろじろ》で、大人《おとな》っぽい雰囲気《ふんいき》の女《おんな》の子《こ》だった。赤《あか》みがかった茶髪《ちゃぱつ》を、アゴよりも少《すこ》し下《した》のあたりで切《き》りそろえている。転校初日《てんこうしょにち》で緊張《きんちょう》しているのか、にこりともせず唇《くちびる》を結《むす》び、無表情《むひょうじょう》のまま、まっすぐに背筋《せすじ》を伸《の》ばして立《た》っていた。愛想《あいそ》こそないが、目鼻立《めはなだ》ちがはっきりしていて、かなりの美人《びじん》だ。

「えーっと灰原《はいばら》さんの席《せき》は…」

小林先生《こばやしせんせい》が空《あ》いている席《せき》を探《さが》してきょろきょろと視線《しせん》をめぐらせる。元太《げんた》はすかさず、自分《じぶん》の隣《となり》の席《せき》を指《ゆび》さしてアピールした。

「先生《せんせい》！　ココ！　ココ！　オレの隣《となり》が…空《あ》いてる…」

しかし灰原《はいばら》は、元太《げんた》を無視《むし》してスタスタと歩《ある》きだし、コナンの方《ほう》へと向《む》かっていった。

ガタッと椅子《いす》を引《ひ》き、コナンの隣《となり》の席《せき》にそのまま無言《むごん》で座《すわ》る。

「へ？」

あっけにとられるコナンに向《む》かって、灰原《はいばら》は無表情《むひょうじょう》のまま「よろしく…」とつぶやいた。

少《すこ》し強引《ごういん》な灰原《はいばら》の態度《たいど》に圧倒《あっとう》されつつ、コナンは「あ、ああ…」とうなずいた。

「なんでー、ツンツンしちゃってよー！」

元太《げんた》がぶすっとして言《い》う。

光彦《みつひこ》も「クールですねぇー…」と、驚《おどろ》いていた。

「きっと緊張《きんちょう》してるんだよ！」

と、歩美《あゆみ》がフォローを入《い》れる。

ともかくこれで、灰原《はいばら》の席《せき》はコナンの隣《となり》に決《き》まった。

「さあさあ、みんな！　授業始《じゅぎょうはじ》めるわよ！」

小林先生《こばやしせんせい》がパンパンと両手《りょうて》を叩《たた》いて仕切《しき》り直《なお》すと、児童《じどう》たちは「はーい!!」と元気《げんき》よく声《こえ》をそろえた。

帝丹小学校《ていたんしょうがっこう》の一日《いちにち》の、始《はじ》まりだ。


キーンコーンカーン。

放課後《ほうかご》。チャイムの音《おと》が校舎《こうしゃ》に鳴《な》り響《ひび》くと、児童《じどう》たちはランドセルを背負《せお》い、いっせいに帰宅《きたく》を始《はじ》めた。灰原《はいばら》も席《せき》を立《た》ち、うつむきがちに、一人無言《ひとりむごん》で廊下《ろうか》を歩《ある》いていく。

「はーいーばーらさん♡　いっしょに帰《かえ》ろ！」

歩美《あゆみ》は灰原《はいばら》の姿《すがた》を見《み》つけ、明《あか》るく声《こえ》をかけたが、灰原《はいばら》は無視《むし》してスタスタと歩《ある》いていってしまった。

「え？」

驚《おどろ》く歩美《あゆみ》に、元太《げんた》が「放《ほう》っとけよ！　そんなツンツン女《おんな》！」と声《こえ》をかける。

歩美《あゆみ》は「でもー…」と口《くち》ごもりながら、光彦《みつひこ》と一緒《いっしょ》になおも灰原《はいばら》を追《お》いかけた。一人《ひとり》で下校《げこう》しようとする灰原《はいばら》を、どうしても放《ほう》っておけないようだ。

「あのー、家《いえ》はどこなんですか？　引《ひ》っ越《こ》して来《き》たんでしょ？」と、光彦《みつひこ》。

「遠慮《えんりょ》しないで、わたし達《たち》が送《おく》ってってってあげるから！」と、歩美《あゆみ》。

すると灰原《はいばら》は、視線《しせん》を足《あし》もとに向《む》けたまま、ささやくように小《ちい》さな声《こえ》で口《くち》を開《ひら》いた。

「米花町《べいかちょう》２丁目《ちょうめ》…22番地《ばんち》…。そこが今《いま》、私《わたし》の住《す》んでる場所《ばしょ》…」

灰原《はいばら》が口《くち》にした住所《じゅうしょ》を聞《き》いて、コナンは「え？」と目《め》を見開《みひら》いた。

「ん？　なんだ？」

元太《げんた》に視線《しせん》を向《む》けられ、「あ、別《べつ》に…」とごまかす。しかし、内心《ないしん》では、灰原《はいばら》の口《くち》にした住所《じゅうしょ》に違和感《いわかん》を覚《おぼ》えていた。

(変《へん》だな…2丁目《ちょうめ》22番地《ばんち》っつったら、オレん家《ち》の近所《きんじょ》だ…。でも近《ちか》くにマンションやアパートなんてないし…『灰原《はいばら》』なんて家《いえ》あったっけなー…)

考《かんが》えこむコナンの方《ほう》を、灰原《はいばら》が振《ふ》り返《かえ》る。そして、クス…と小《ちい》さな笑《え》みを漏《も》らした。

初《はじ》めて見《み》る灰原《はいばら》の笑顔《えがお》だが、どうして笑《わら》われたのか意味《いみ》がわからず、コナンは「へ？」とあっけにとられるしかなかった。

歩美《あゆみ》は、みんなと昇降口《しょうこうぐち》に向《む》かって歩《ある》きながら、『少年探偵団《しょうねんたんていだん》』について説明《せつめい》した。

『少年探偵団《しょうねんたんていだん》』とは、歩美《あゆみ》と元太《げんた》、光彦《みつひこ》、そしてコナンによって結成《けっせい》された、探偵《たんてい》として事件《じけん》を解決《かいけつ》するのが使命《しめい》のチームだ。

歩美《あゆみ》の説明《せつめい》を聞《き》いた灰原《はいばら》は、「少年探偵団《しょうねんたんていだん》？　あなた達《たち》が？」と意外《いがい》にも興味《きょうみ》を示《しめ》した。

「ええ！　みんなから依頼《いらい》される難事件《なんじけん》を解明《かいめい》するために、日夜活動《にちやかつどう》してるんです！」

光彦《みつひこ》がはきはきと説明《せつめい》すると、歩美《あゆみ》がすかさず「灰原《はいばら》さんもいっしょにやろーよ！」と誘《さそ》った。

「…江戸川君《えどがわくん》も入《はい》ってるの？」

灰原《はいばら》がコナンの方《ほう》へ視線《しせん》を向《む》けて聞《き》く。

コナンは仕方《しかた》なく「ああ…」とうなずいた。本当《ほんとう》はやりたくないのだが、半《なか》ば強引《ごういん》に加《か》入《にゅう》させられているのだ。

「まぁ、こいつはオレの子分《こぶん》みてーなもんだけどよ！」

元太《げんた》がコナンの頭《あたま》をぽんぽんと叩《たた》いて言《い》う。

「依頼《いらい》の受付《うけつけ》は元太君《げんたくん》のゲタ箱《ばこ》よ！」

そう言《い》うと、歩美《あゆみ》は元太《げんた》のゲタ箱《ばこ》を目《め》で示《しめ》した。そこには、【難事件大募集《なんじけんだいぼしゅう》!!　1年《ねん》B《ビー》組少年探偵団《ぐみしょうねんたんていだん》】と太《ふと》く大《おお》きく書《か》かれた張《は》り紙《がみ》が貼《は》られている。

「依頼書《いらいしょ》をこの中《なか》に投函《とうかん》する事《こと》になってるんです！」と、光彦《みつひこ》。

「先生《せんせい》には内緒《ないしょ》だけどな！」と、元太《げんた》。

三人《さんにん》とも自信満々《じしんまんまん》だが、こんなに派手《はで》な張《は》り紙《がみ》が貼《は》られているのに、先生《せんせい》たちが気《き》づいていないわけがない。コナンはあきれて、（バレてるって…）と苦笑《にがわら》いした。

「毎日毎日《まいにちまいにち》すげーんだぜ！　謎《なぞ》をかかえた奴《やつ》らの手紙《てがみ》が、どさーっと…」

得意《とくい》げに言《い》いながら、元太《げんた》がゲタ箱《ばこ》のフタを開《あ》ける。しかし、ゲタ箱《ばこ》の中《なか》には手紙《てがみ》など一通《いっつう》もなく、元太《げんた》の薄汚《うすよご》れたスニーカーが一足入《いっそくはい》っているだけだった。

「あれ？」

元太《げんた》はきょとんとすると、「アハハハハ…」と困《こま》ったように頭《あたま》をかいた。

「いつもはもっと入《はい》ってんだけど、今日《きょう》はたまたま…」

ごまかそうとする元太《げんた》に、コナンは（いつも入《はい》ってねーじゃねーか…）と内心《ないしん》でツッコミを入《い》れつつ、

「さ、早《はや》く帰《かえ》って公園《こうえん》でサッカーでもやろーぜ！」

とみんなの先《さき》に立《た》って歩《ある》きだした。

「いーですねえ！」

光彦《みつひこ》が声《こえ》を弾《はず》ませ、歩美《あゆみ》も「やろやろ！」と笑顔《えがお》を浮《う》かべながら、灰原《はいばら》の背中《せなか》を押《お》した。

当然《とうぜん》のように、灰原《はいばら》もサッカーに参加《さんか》することになっているようだ。

「お、おい、まてよ…」

元太《げんた》は置《お》いていかれそうになり、あわててスニーカーに足《あし》をつっこんだ。

と、靴《くつ》の中《なか》で、クシャッと何《なに》かを踏《ふ》んだような音《おと》がする。

あわててスニーカーを脱《ぬ》いでみると、【おねがいします】と子供《こども》の字《じ》で書《か》かれた手紙《てがみ》が入《はい》っていた。

「あった!!　依頼書《いらいしょ》だ!!」

元太《げんた》の声《こえ》を聞《き》き、コナンは「え?」と驚《おどろ》いて振《ふ》り返《かえ》った。これまで、依頼書《いらいしょ》が届《とど》いたことなどほとんどなかったのだ。

歩美《あゆみ》は「ホント!」と色《いろ》めきたった。

「ああ!　放課後《ほうかご》、一年A組《いちねんエーぐみ》の教室《きょうしつ》でオレ達《たち》の事《こと》をまってるってよ!」

元太《げんた》が手紙《てがみ》の内容《ないよう》を確認《かくにん》して言《い》う。

「では、さっそく一A《いちエー》の教室《きょうしつ》に!」

光彦《みつひこ》が言《い》い、みんなあわてて上履《うわば》きにはきかえて、ダッと走《はし》りだした。

「ホラ、灰原《はいばら》さんも早《はや》く早《はや》く!」

歩美《あゆみ》に手招《てまね》きされ、灰原《はいばら》も黙《だま》って後《あと》を追《お》った。

一年A組《いちねんエーぐみ》の教室《きょうしつ》で少年探偵団《しょうねんたんていだん》を待《ま》っていたのは、俊也《としや》という名《な》の気弱《きよわ》そうな少年《しょうねん》だった。

事情《じじょう》を聞《き》くと、なんと兄《あに》が家《いえ》からいなくなってしまったという。

「ええっ、家《いえ》から姿《すがた》を消《け》した⁉」

驚《おどろ》く元太《げんた》たちに、俊也《としや》は「うん‼」と勢《いきお》いよくうなずいた。

「ウチのにーちゃんが急《きゅう》にいなくなっちゃったんだよ‼」

「ま、まさか誘拐《ゆうかい》？」

にわかに緊張《きんちょう》する元太《げんた》に、光彦《みつひこ》が「ちょ、ちょっとまってください…。確《たし》か前《まえ》にも似《に》た様《よう》な事件《じけん》が…」と冷静《れいせい》に声《こえ》をかける。

「あ、そういえば…」

歩美《あゆみ》はハッと、昔《むかし》あった事件《じけん》を思《おも》い出《だ》した。行方不明者《ゆくえふめいしゃ》の捜索《そうさく》を依頼《いらい》されたと思《おも》ったのに、よくよく話《はなし》を聞《き》いてみれば、人《ひと》ではなく迷子《まいご》の猫《ねこ》を捜《さが》してくれという依頼《いらい》だったことがあったのだ。

「もしかして、その『にーちゃん』って猫《ねこ》じゃねーだろーな？」

元太《げんた》がじとっとした目《め》つきで聞《き》くと、俊也《としや》は「ちがうよ!!」と即座《そくざ》に否定《ひてい》した。

「10歳上《さいうえ》のボクのお兄《にい》ちゃんだよ!!　いなくなったのは一週間前《いっしゅうかんまえ》の夕方《ゆうがた》！　『ちょっと友達《ともだち》ん家に行《い》って来《く》る』って出《で》てったきり帰《かえ》って来《こ》ないんだ!!　警察《けいさつ》の人《ひと》も捜《さが》してるけど、全然見《ぜんぜんみ》つかんなくって…。君達《きみたち》なら、なんとかしてくれるって思《おも》ったから…」

「脅迫電話《きょうはくでんわ》とか、かかってきてないんですか？」

光彦《みつひこ》に聞《き》かれ、俊也《としや》は「きてないよ、そんなの…」と肩《かた》を落《お》とした。

「ただの家出《いえで》じゃねーのか？」と、元太《げんた》。

しかし、俊也《としや》は「お兄《にい》ちゃんが家出《いえで》なんかするわけないよ!!」と譲《ゆず》らない。どうやら兄《あに》のことを、よほど信頼《しんらい》しているようだ。

「とにかくその子《こ》の家《いえ》に行《い》ってみよう！　話《はなし》はそれからだ…」

コナンの一声《ひとこえ》で、まずは俊也《としや》の家《いえ》にみんなで行《い》ってみることになった。

俊也《としや》の家《いえ》は、立派《りっぱ》な門構《もんがま》えの一軒家《いっけんや》だ。コナンたちが行《い》くと、ちょうど家《いえ》の前《まえ》に一台《いちだい》のパトカーが停《と》まっていて、警察官《けいさつかん》が家《いえ》から出《で》てくるところだった。行方不明《ゆくえふめい》の兄《あに》について、事情《じじょう》を聞《き》きに来《き》ていたらしい。

「では奥《おく》さん、何《なに》かありましたら署《しょ》に連絡《れんらく》を…」

そう言《い》いながら帰《かえ》っていく警察官《けいさつかん》を、俊也《としや》の母《はは》は「御苦労《ごくろう》さまでした…」と頭《あたま》をさげて見送《みおく》ると、俊也《としや》がコナンたちを連《つ》れて帰宅《きたく》してきたことに気《き》がついた。

「あら、俊也《としや》…お友達《ともだち》？」

「うん！」

俊也《としや》がうなずき、歩美《あゆみ》たちは愛想《あいそ》よく「おじゃましまーす！」と声《こえ》をそろえた。

「なにか出《だ》そうか？」

台所《だいどころ》に向《む》かっていこうとする俊也《としや》の母《はは》に、コナンは「あ、構《かま》わないでください…」と遠慮《えんりょ》した。それから俊也《としや》に向《む》かって、

「さあ、早《はや》く、お兄《にい》さんの部屋《へや》に…」

と耳打《みみう》ちする。少年探偵団《しょうねんたんていだん》の活動《かつどう》には消極的《しょうきょくてき》なコナンだが、謎《なぞ》や事件《じけん》を解決《かいけつ》するのは大《だい》

好《す》きなので、俊也《としや》の兄《あに》の消息《しょうそく》を探《さぐ》ることにはすっかり前《まえ》のめりになっているのだ。

「う、うん…」

案内《あんない》されたのは、なんの変哲《へんてつ》もないシンプルな部屋《へや》だった。室内《しつない》にはベッドとデスクが一台《いちだい》ずつ置《お》かれている。俊也《としや》の兄《あに》は、この部屋《へや》を一人《ひとり》で使《つか》っていたらしい。コナンたちはさっそく、デスクをあさったりベッドの下《した》を調《しら》べたり、壁《かべ》のポスターをめくってみたりして、部屋《へや》の中《なか》を調《しら》べまわった。

しかし、手《て》がかりらしいものはなかなか見《み》つからない。

元太《げんた》はすぐに飽《あ》きてしまい、でんとベッドの上《うえ》に腰《こし》をおろした。

「おい、コナン！　こんなトコ、いくら探《さが》しても何《なに》もわかんねーよ…。やっぱり家出《いえで》なんじゃねーのか？」

「いや…それはないな…」

そう言《い》うと、コナンは、デスクの引《ひ》き出《だ》しで見《み》つけたものを俊也《としや》に見《み》せた。

「ほらサイフ…お兄《にい》さんのだろ？　家出《いえで》すんなら、サイフぐらい持《も》ってくよな？」

「じゃあ、お兄《にい》ちゃんは…？」

「事故《じこ》か…あるいは何《なに》かの事件《じけん》に巻《ま》き込《こ》まれているか…」

低《ひく》い声《こえ》で言《い》い、コナンはさらなる手《て》がかりを求《もと》めて引《ひ》き出《だ》しを開《あ》けた。

と、その時《とき》、ベッドの下《した》を調《しら》べていた歩美《あゆみ》が、キャンバスに描《か》かれた油絵《あぶらえ》を見《み》つけて「キャハ…」と笑《わら》い声《ごえ》をあげた。

「なーに、この絵《え》！　ベッドの下《した》に変《へん》な絵《え》がいっぱいあるよ！」

歩美《あゆみ》がひっぱりだしてきたのは、子供《こども》の落書《らくが》きのような、奇妙《きみょう》な油絵《あぶらえ》だ。女性《じょせい》の顔《かお》が描《えが》かれているようだが、よく見《み》ないとわからない。

「わっ、スゲーへたくそ！」

元太《げんた》は驚《おどろ》いて肩《かた》をすくめ、歩美《あゆみ》はケラケラと笑《わら》いながら「誰《だれ》よ、こんな絵《え》描《か》いたの…」とあきれた。

「ピカソ…」

歩美《あゆみ》の背後《はいご》で、灰原《はいばら》がぽつりとつぶやく。

「え？」

と、歩美《あゆみ》が驚《おどろ》いて振《ふ》り返《かえ》ると、光彦《みつひこ》も油絵《あぶらえ》をのぞきに来《き》て、「わ！　ほんとだ！」と声《こえ》をあげた。

「それ、ピカソの『泣《な》く女《おんな》』の模写《もしゃ》ですよ！」

元太《げんた》と歩美《あゆみ》が笑《わら》った絵《え》は、スペインの有名《ゆうめい》な画家《がか》、ピカソの作品《さくひん》を真似《まね》して描《か》かれたものだったのだ。

ベッドの下《した》からは、ほかにもたくさんの油絵《あぶらえ》が出《で》てきた。ゴッホの『ひまわり』や、モネの『睡蓮《すいれん》』、そしてゴーギャンの『タヒチの女《おんな》たち』など、有名《ゆうめい》な絵画《かいが》の模写《もしゃ》ばかりだ。

光彦《みつひこ》は「どれもこれもそっくりです！」とすっかり感心《かんしん》した。

「それ、みんなお兄《にい》ちゃんが描《か》いたんだ！　お兄《にい》ちゃん、高校《こうこう》の美術部《びじゅつぶ》で、人《ひと》の絵《え》をマネして描《か》くのうまかったから…」

「お、おいまさか、誘拐《ゆうかい》して絵《え》を描《か》かせてんじゃ…」

「ありえますね…名画《めいが》を模写《もしゃ》させて本物《ほんもの》とスリ替《か》えれば…」

元太《げんた》と光彦《みつひこ》が深刻《しんこく》そうにつぶやくが、コナンは「いや…それもない…」と、首《くび》を振《ふ》って否定《ひてい》した。

「え？」

「確《たし》かにデッサンはしっかりしてるが、色使《いろづか》いやタッチはまだまだ甘《あま》い…。贋作《がんさく》の域《いき》には、いってないさ…。それに、金目当《かねめあ》ての誘拐《ゆうかい》もないな…。それをするなら高校生《こうこうせい》の兄《にい》さんより、君《きみ》の方《ほう》をさらうはずだからね…」

俊也《としや》の方《ほう》を見《み》ながら言《い》うと、コナンは新《あら》たにベッドの下《した》から出《で》てきた一枚《いちまい》の絵《え》に視線《しせん》を戻《もど》した。

「それより気《き》になるのは、この絵《え》だ…」

コナンが手《て》にとったのは、立派《りっぱ》なヒゲをたくわえた男性《だんせい》を描《えが》いた肖像画《しょうぞうが》だ。

絵《え》をのぞきこんだ歩美《あゆみ》は、「あれ？　この人《ひと》どっかで…」と首《くび》をひねった。どこかで見《み》た記憶《きおく》のある顔《かお》だが、思《おも》い出《だ》せない。

すると俊也《としや》が「夏目漱石《なつめそうせき》だよ…」と教《おし》えてくれた。

「お兄《にい》ちゃん、漱石《そうせき》の大《だい》ファンなんだ！　その絵《え》、気《き》に入《い》ってて、町《まち》の展覧会《てんらんかい》に出《だ》したぐらい！」

「へー…」

歩美《あゆみ》はまじまじと、キャンバスに描《か》かれた夏目漱石《なつめそうせき》の顔《かお》を見《み》つめた。*千円札《せんえんさつ》でよく見《み》

＊以前《いぜん》、千円札《せんえんさつ》の肖像画《しょうぞうが》は夏目漱石《なつめそうせき》だった。

ほめてた
る顔《かお》だった。

「でも写真《しゃしん》のマネだから、展覧会《てんらんかい》に来《き》た人《ひと》はみんな、文句《もんく》ばっかつけてたよ…。のは変《へん》な女《おんな》の人《ひと》ぐらい…」

「変《へん》な女《おんな》…？」

コナンに聞《き》かれ、俊也《としや》は「うん…」とうなずいた。

「ふちの広《ひろ》ーい帽子《ぼうし》かぶった…上《うえ》から下《した》まで真《ま》っ黒《くろ》な女《おんな》の人《ひと》だよ…」

(な!?)

コナンは驚《おどろ》きのあまり、俊也《としや》の肩《かた》をがしっとつかみ、早口《はやくち》に詰《つ》め寄《よ》った。

「それ、いつだ!?　いつ会《あ》ったんだ、その女《おんな》と!?」

「と、十日《とおか》ぐらい前《まえ》だよ…」

「女《おんな》のほかに、黒服《くろふく》の男《おとこ》はいなかったか!?」

「い、いたよ。二人《ふたり》…」

コナンの勢《いきお》いに圧倒《あっとう》されつつ、俊也《としや》がおずおずと答《こた》える。

「どうしたの、コナン君《くん》？」

歩美《あゆみ》が心配《しんぱい》して声《こえ》をかけるが、コナンの耳《みみ》には入《はい》っていなかった。

(まさか…まさか…まさか…)

上《うえ》から下《した》まで真《ま》っ黒《くろ》な——その特徴《とくちょう》からコナンが連想《れんそう》するのは、工藤新一《くどうしんいち》に薬《くすり》を飲《の》ませて体《からだ》を幼児化《ようじか》させた張本人《ちょうほんにん》である、ジンとウォッカのことだ。彼《かれ》らが所属《しょぞく》する組織《そしき》の連中《れんちゅう》は、なぜか皆《みな》、好《この》んで黒《くろ》い服《ふく》を身《み》にまとう。もしかしたら、俊也《としや》の兄《あに》の絵《え》をほめていたという女性《じょせい》も、ジンたちと同《おな》じ組織《そしき》の一員《いちいん》なのかもしれない。

「おい、この近《ちか》くでお兄《にい》さんが行《い》きそーな場所《ばしょ》に案内《あんない》してくれ!!」

「え？」

「サイフも通学用《つうがくよう》の定期《ていき》も机《つくえ》の中《なか》、自転車《じてんしゃ》も玄関《げんかん》にあった!!　お兄《にい》さんはこの近《ちか》くに呼《よ》び出《だ》されて連《つ》れ去《さ》られた可能性《かのうせい》が高《たか》い!!」

コナンがもどかしそうに説明《せつめい》するのを聞《き》いて、光彦《みつひこ》と元太《げんた》はようやく合点《がてん》がいったようで、

「そうか。近《ちか》くを調《しら》べれば…」

「何《なに》かわかるかも…」

と、口々《くちぐち》にうなずいた。

「さぁ早《はや》く!!」

そう言《い》うと、コナンは俊也《としや》の手《て》をとって、ダッと強引《ごういん》に走《はし》りだしてしまった。

「あ、まってよ、コナン君《くん》!!　コナンくーん!!」

歩美《あゆみ》が声《こえ》をあげ、あわててコナンたちの後《あと》を追《お》いかける。

その様子《ようす》を、灰原《はいばら》は、相変《あいか》わらず押《お》し黙《だま》ったまま冷静《れいせい》に見守《みまも》っていた。


コナンたちは、俊也《としや》の兄《あに》の消息《しょうそく》を求《もと》めて、町中《まちじゅう》を捜《さが》しまわった。しかし、めぼしい手《て》がかりは得《え》られない。

みんな必死《ひっし》に走《はし》りまわったので、ハァハァとすっかり息《いき》があがってしまっている。

(くそっ!　茶店《さてん》、ゲーセン、デパート、路地裏《ろじうら》…お兄《にい》さんが呼《よ》び出《だ》されそーな所《ところ》はすべてあたったが…その日《ひ》、彼《かれ》を見《み》かけた人《ひと》は誰《だれ》もいない…。黒服《くろふく》の女《おんな》を見《み》た人《ひと》も…)

悔《くや》しげに汗《あせ》をぬぐいながら、コナンは冷静《れいせい》でない自分《じぶん》に気《き》づいて(ハ…)と自嘲《じちょう》した。

（なに焦《あせ》ってんだ、オレ…。こんな事《こと》、もうとっくに警察《けいさつ》がやってるはずじゃねーか…）

そう自分《じぶん》をなだめてみるが、俊也《としや》の兄《あに》の消息《しょうそく》をつかめていない今《いま》の状況《じょうきょう》は変《か》わらない。

コナンは悔《くや》しさのあまり、ギリッと奥歯《おくば》を噛《か》みしめた。

（手掛《てが》かりが少《すく》なすぎる…。ないのか？　何《なに》かもっと別《べつ》の…何《なに》か…）

その時《とき》、歩美《あゆみ》がみんなに「ねぇ！」と声《こえ》をかけた。

「ちょっとコンビニよってもいい？　わたし、ノド渇《かわ》いちゃって…」

コンビニには、黒《くろ》い帽子《ぼうし》をかぶり黒《くろ》い上着《うわぎ》を着《き》た男《おとこ》が、ちょうど入《はい》っていこうとしている。男《おとこ》に続《つづ》いてみんなでコンビニに入《はい》ると、店内《てんない》は冷房《れいぼう》でキンキンに冷《ひ》やされていた。走《はし》りまわってすっかり汗《あせ》をかいていた歩美《あゆみ》は、「わー涼《すず》しーっ!!」とうれしそうな声《こえ》をあげた。

さっきの黒《くろ》い帽子《ぼうし》の男《おとこ》は、手《て》ぶらでレジの前《まえ》に並《なら》んでいる。自分《じぶん》の番《ばん》がくると、キャッシュトレーに千円札《せんえんさつ》を置《お》き、棚《たな》に並《なら》んだタバコを指《ゆび》さした。

「マイルドセブン一《ひと》つ…」

男《おとこ》の行動《こうどう》に違和感《いわかん》を覚《おぼ》え、コナンは「え？」と振《ふ》り返《かえ》った。

店員《てんいん》はマイルドセブンを男《おとこ》に差《さ》し出《だ》し、愛想《あいそ》よくおつりを渡《わた》した。

「770円《えん》のお返《かえ》しです！　ありがとうございました!!」

おつりを受《う》け取《と》って店《みせ》を出《で》ていく男《おとこ》を、コナンはじっと見《み》つめた。

「どうしたの、コナン君《くん》？」

歩美《あゆみ》に不思議《ふしぎ》そうに聞《き》かれ、「千円札《せんえんさつ》でタバコ一個《いっこ》…。妙《みょう》だな…」と真剣《しんけん》な表情《ひょうじょう》でつぶやく。男《おとこ》は、230円《えん》のタバコを、小銭《こぜに》ではなくわざわざ千円札《せんえんさつ》で買《か》っていた。そのことに、コナンは不自然《ふしぜん》さを感《かん》じていたのだ。

「小銭《こぜに》がなかったんじゃねーの？」

元太《げんた》があきれて聞《き》くが、コナンは首《くび》を振《ふ》った。

「千円持《せんえんも》ってりゃ、店《みせ》の前《まえ》の自販機《じはんき》で買《か》えるさ…。わざわざレジに並《なら》んで買《か》う必要《ひつよう》はない…」

「きっと欲《ほ》しいタバコが売《う》り切《き》れだったんですよ…」

光彦《みつひこ》がやんわりと言《い》うが、コナンは聞《き》く耳《みみ》をもたず、カウンターごしにコンビニの店員《てんいん》に声《こえ》をかけた。

「ねえ！　今《いま》の男《おとこ》の人《ひと》が使《つか》った千円札《せんえんさつ》見《み》せてくんない？」

「え？」

「いいから見《み》せて!!」

そう言《い》うと、店員《てんいん》が「あっコラ!!」と止《と》めるのも聞《き》かず、コナンはカウンターの上《うえ》にあがった。レジの中《なか》にしまわれようとしていた千円札《せんえんさつ》を手《て》にとり、店内《てんない》の明《あ》かりに透《す》かしてみる。

(!? 透《す》かしがない!!!)

男《おとこ》が支払《しはら》いに使《つか》った千円札《せんえんさつ》には、本来《ほんらい》お札《さつ》にあるべき透《す》かしの模様《もよう》がなかったのだ。

「もー、なんなのこの子《こ》!?」

店員《てんいん》があわてて、コナンから千円札《せんえんさつ》を奪《うば》い返《かえ》す。

コナンはタッとカウンターからおりると、「警察《けいさつ》に電話《でんわ》して…」と低《ひく》い声《こえ》で言《い》った。

(やっぱり、今《いま》の男《おとこ》…)

「え？」

「それ、ニセ札《さつ》だよ…」

そう言《い》うなり、店《みせ》を出《で》て行《い》った男《おとこ》を追《お》いかけて、ダッと駆《か》けだす。

「あ、ちょっとボウヤ!?」

店員《てんいん》があわてて呼《よ》び止《と》めるが、コナンは足《あし》を止《と》めず、一目散《いちもくさん》にコンビニから出《で》ていってしまった。


コンビニを出《で》るとすぐに、黒《くろ》い帽子《ぼうし》の男《おとこ》の後《うし》ろ姿《すがた》が見《み》えた。ポケットに手《て》をつっこみ、歩道《ほどう》を歩《ある》いている。コナンは慎重《しんちょう》に距離《きょり》をとりつつ、男《おとこ》を尾行《びこう》した。少年探偵団《しょうねんたんていだん》たちも、コナンについてくる。

「ちょっとコナン君《くん》、どーしたの?」

「なんなんだよ?　さっきコンビニでいってたニセ札《さつ》って…」

歩美《あゆみ》と元太《げんた》に聞《き》かれ、コナンは「し!」と人《ひと》さし指《ゆび》を立《た》てた。

黒《くろ》い帽子《ぼうし》の男《おとこ》は、ビルとビルの間《あいだ》の狭《せま》い路地《ろじ》に入《はい》っていく。

「あの男《おとこ》、千円札《せんえんさつ》でタバコを買《か》ってただろ?　店《みせ》の前《まえ》に自販機《じはんき》があるにもかかわらず、わざわざレジに並《なら》んで…。つまり、あの男《おとこ》は機械《きかい》に通《とお》せない千円札《せんえんさつ》を使《つか》いたかったんだよ!

人間《にんげん》の目《め》なら欺《あざむ》きやすいニセ札《さつ》をな!!」

「で、でもそれ、お兄《にい》ちゃんがいなくなったのと全然関係《ぜんぜんかんけい》ないじゃない!!」

戸惑《とまど》う俊也《としや》を、コナンは「関係大《かんけいおお》ありだよ！」と一蹴《いっしゅう》した。

「あっただろ？　兄《にい》さんが描《か》いた絵《え》の中《なか》に、ある人物《じんぶつ》の肖像画《しょうぞうが》が…」

コナンに促《うなが》され、灰原《はいばら》が「夏目漱石《なつめそうせき》…」とつぶやく。

それを聞《き》いた光彦《みつひこ》は、「そういえば、千円札《せんえんさつ》って夏目漱石《なつめそうせき》…」と、ハッとした。

「じゃ、じゃあお兄《にい》ちゃんは…」

「ああ…もしかしたら画力《がりょく》に目《め》をつけられどこかに監禁《かんきん》され、ニセ札作《さつづく》りを手伝《てつだ》わされてるかもしれねーな…」

路地《ろじ》に入《はい》っていった男《おとこ》の様子《ようす》をうかがいつつ、コナンはさらに声《こえ》をひそめて続《つづ》けた。

「あの男《おとこ》がそうだとは、まだいえねーけど…ひょっとするとオレの体《からだ》を薬《くすり》で小《ちい》さくした…あの黒《くろ》ずくめの……」

それを聞《き》いた歩美《あゆみ》たちは、意味《いみ》がわからず、「か、体《からだ》を小《ちい》さく…？」とポカンとしてしまう。

コナンは作《つく》り笑《わら》いを浮《う》かべ、「なーんてウソウソ！」とあわててごまかした。

「ちょっとオメーらをからかっただけだよ！」

苦《くる》しい言《い》い訳《わけ》だが、少年探偵団《しょうねんたんていだん》たちは「へ？」ときょとんとしつつも、素直《すなお》に信《しん》じたようだった。

（よわったな…こいつらを、こんな危険《きけん》な事件《じけん》にかかわらせられねーし…このままだと、あの男《おとこ》を見失《みうしな》っちまうし…）

なんとか少年探偵団《しょうねんたんていだん》を帰《かえ》らせつつ、黒《くろ》い帽子《ぼうし》の男《おとこ》の尾行《びこう》を続《つづ》ける方法《ほうほう》はないものだろうか――コナンは少《すこ》し考《かんが》えて、

（おーし、それなら…）

と、ポケットから一枚《いちまい》の小《ちい》さな丸《まる》いシールをとりだした。そしてそのシールを、自分《じぶん》の千円札《せんえんさつ》に貼《は》りつけると、「ねぇ、そこのお兄《にい》さーん!!」と無邪気《むじゃき》な子供《こども》を装《よそお》って、黒《くろ》い帽子《ぼうし》の男《おとこ》に声《こえ》をかけに行《い》く。

「落《お》とし物《もの》だよ！　この千円札《せんえんさつ》、お兄《にい》さんのでしょ？」

すると男《おとこ》は焦《あせ》ったような表情《ひょうじょう》を浮《う》かべ、コナンの持《も》った千円札《せんえんさつ》をバッとひったくった。

そして、コナンにお礼《れい》も言《い》わず背中《せなか》を向《む》けると、「ちっ…」と舌打《したう》ちをしながら、また歩《ある》きだした。まるで、千円札《せんえんさつ》を拾《ひろ》われたら、何《なに》かマズイことでもあるかのような態度《たいど》だ。

「ホラな！　あの人《ひと》がお金《かね》を落《お》としたから、渡《わた》すために追《お》いかけてたんだよ！」

コナンがそう説明《せつめい》すると、元太《げんた》は「なんでぇ…」と顔《かお》をくもらせ、歩美《あゆみ》も「つまんないのー…」とボヤいた。

いずれにしても、少年探偵団《しょうねんたんていだん》たちはこれ以上《いじょう》尾行《びこう》を続《つづ》けるわけにはいかなかった。いつの間《ま》にか夕陽《ゆうひ》が沈《しず》みかけ、小学生《しょうがくせい》はそろそろ家《いえ》に帰《かえ》る時間《じかん》だ。

「でもどーすんだ？　お兄《にい》さん捜《さが》し…」

元太《げんた》が困《こま》ったように言《い》うと、歩美《あゆみ》は「日《ひ》も暮《く》れちゃったし…」と、夕暮《ゆうぐ》れの空《そら》を見《み》あげた。

「また明日《あした》、出直《でなお》すしかないですね…」と、光彦《みつひこ》。

「じゃー、オメーらは先《さき》に、俊也君家《としやくんち》にランドセル取《と》りに戻《もど》ってろよ！　オレちょっと寄《よ》るトコがあるから…」

そう言《い》い残《のこ》すと、コナンは横断歩道《おうだんほどう》を渡《わた》ってダッと走《はし》りだした。少年探偵団《しょうねんたんていだん》たちに背中《せなか》を向《む》けつつ、ピッとボタンを押《お》してメガネの電源《でんげん》を入《い》れる。すると、レンズに、付近《ふきん》の地《ち》図《ず》が表示《ひょうじ》された。地図上《ちずじょう》では、赤《あか》い小《ちい》さな点《てん》が点滅《てんめつ》しながら移動《いどう》している。

（おーし、かかった!!　あの男《おとこ》、発信機《はっしんき》シールを貼《は》り付《つ》けた千円札《せんえんさつ》を持《も》って行《い》きやがった!!）

コナンが男《おとこ》に渡《わた》した千円札《せんえんさつ》に貼《は》ったのは、発信機《はっしんき》つきのシールだったのだ。これでコナンは、無理《むり》して尾行《びこう》しなくても、男《おとこ》の位置《いち》を把握《はあく》することができる。

（あとはこの追跡《ついせき》メガネで後《あと》を追《お》えば…もしかしたら奴《やつ》らの…黒《くろ》ずくめの男達《おとこたち》の居場所《いばしょ》に…）

コナンは期待《きたい》に武者震《むしゃぶる》いしながら、発信機《はっしんき》の表示《ひょうじ》された場所《ばしょ》に向《む》かって走《はし》った。


少年探偵団《しょうねんたんていだん》たちは、コナンに言《い》われたとおり、俊也《としや》の家《いえ》にランドセルをとりに戻《もど》ることにしていた。みんなでぞろぞろと歩《ある》きだすが、灰原《はいばら》だけは横断歩道《おうだんほどう》の前《まえ》に立《た》ったまま動《うご》こうとしない。

「灰原《はいばら》さーん！　おいてっちゃうよー！」

歩美《あゆみ》が声《こえ》をかけるが、灰原《はいばら》は「……」と無言《むごん》で、去《さ》っていくコナンの背中《せなか》を見送《みおく》っていた。

コナンは、黒《くろ》い帽子《ぼうし》の男《おとこ》につけた発信機《はっしんき》を追《お》って、ひた走《はし》っていた。

(おっ！　近《ちか》いぞ!!)

幸《さいわ》い、男《おとこ》はまだそれほど遠《とお》くへは行《い》っていない。米花駅《べいかえき》の改札《かいさつ》のすぐそばで、立《た》ち止《ど》まっているようだ。

(駅《えき》か…。ば、売店《ばいてん》…？)

発信機《はっしんき》の位置《いち》を示《しめ》す点滅《てんめつ》は、駅《えき》の改札外《かいさつがい》にある売店《ばいてん》を示《しめ》している。(ま、まさか…)と不安《ふあん》に思《おも》いつつ、コナンは走《はし》っていって、店員《てんいん》の女性《じょせい》に声《こえ》をかけ、黒《くろ》い帽子《ぼうし》の男《おとこ》が来《こ》なかったか聞《き》いてみた。

「ああ…その黒《くろ》い帽子《ぼうし》の男《おとこ》なら、ここに来《き》たよ！　千円札《せんえんさつ》で110円《えん》の缶《かん》コーヒー一《ひと》つ買《か》ってった！」

店員《てんいん》の答《こた》えに、コナンは「あちゃー、やっぱりそうか…」と頭《あたま》をかかえた。せっかく発《はっ》信機《しんき》をつけた千円札《せんえんさつ》を、黒《くろ》い帽子《ぼうし》の男《おとこ》はすぐに売店《ばいてん》で使《つか》ってしまったのだ。これでは、男《おとこ》の現在位置《げんざいいち》を追《お》うことができない。

「なんか無愛想《ぶあいそう》だし千円札《せんえんさつ》に変《へん》なシール貼《は》ってあるし…。妙《みょう》な男《おとこ》だったよ…」

「それで？　その男《おとこ》、どっちに行《い》ったかわかんない？」

「さあ…」

店員《てんいん》は首《くび》をかしげると、近《ちか》くにあった公衆電話《こうしゅうでんわ》を指《ゆび》さした。

「缶《かん》コーヒー買《か》った後《あと》、そこの電話《でんわ》使《つか》ってたけど…」

「え？」

「電話機《でんわき》の上《うえ》に小銭《こぜに》積《つ》み上《あ》げて、それが全部《ぜんぶ》なくなるまでしばらく電話《でんわ》してたよ…。10分《ぷん》ぐらいだったかねぇ…」

「ねえ、もしかしてコーヒーのおつり、100円玉《えんだま》と10円玉《えんだま》にしてくれっていわれなかった？」

「ええ…でも、100円玉切《えんだまき》らしてたから500円玉《えんだま》も混《ま》ぜて890円《えん》…」

店員《てんいん》が言《い》うのを聞《き》いて、コナンは考《かんが》えこんだ。

男《おとこ》は電話《でんわ》をかけるのに、コンビニや売店《ばいてん》でもらったおつりの小銭《こぜに》を使《つか》ったはずだ。公衆《こうしゅう》電話《でんわ》で使《つか》うことができるのは、１００円玉《えんだま》と10円玉《えんだま》だけ。５００円玉《えんだま》や50円玉《えんだま》は使《つか》うことができない。

（あの男《おとこ》がコンビニでもらったおつりは、５００円玉《えんだま》１枚《まい》と１００円玉《えんだま》２枚《まい》と50円玉《えんだま》１枚《まい》に10円玉《えんだま》２枚《まい》…。売店《ばいてん》のおつりと合《あ》わせると、電話《でんわ》で使《つか》えたのは１００円玉《えんだま》５枚《まい》と10円玉《えんだま》11枚《まい》の６１０円《えん》…。あの男《おとこ》がもともと小銭《こぜに》をいくらか持《も》っていたのなら、それ以上《いじょう》か…）

そこまで考《かんが》えて、コナンはハッと駅《えき》の改札《かいさつ》の方《ほう》を見《み》た。

（約《やく》10分《ぷん》で６１０円以上《えんいじょう》？　長距離電話《ちょうきょりでんわ》？）

通常《つうじょう》、公衆電話《こうしゅうでんわ》は、近距離《きんきょり》ならば10円《えん》で約《やく》１分間《ぷんかん》、通話《つうわ》することができる。10分《ぷん》の通話《つうわ》ならば、料金《りょうきん》は１００円《えん》だ。

しかし、黒《くろ》い帽子《ぼうし》の男《おとこ》は、10分《ぷん》の通話《つうわ》で６１０円以上《えんいじょう》もの小銭《こぜに》を使《つか》っていた。つまり、男《おとこ》の電話《でんわ》の相手《あいて》は、遠距離《えんきょり》にいたことになる。

（まさか電車《でんしゃ》に乗《の》って、電話相手《でんわあいて》がまつどこか遠《とお》くへ行《い》っちまったんじゃ…。いや…公衆《こうしゅう》電話《でんわ》から携帯電話《けいたいでんわ》にかければ近《ちか》くでも9秒《びょう》で10円《えん》…。まだそっちの可能性《かのうせい》も…）

コナンが考《かんが》えこんでいると、清掃員《せいそういん》の男《おとこ》が「おいボウヤ…」と声《こえ》をかけてきた。

「ひょっとして、黒《くろ》い帽子《ぼうし》の男《おとこ》の知《し》り合《あ》いかね？」

「ああまあ…」

「丁度《ちょうど》よかった、あの男《おとこ》にコレを渡《わた》しといてくれ…」

そう言《い》うと、清掃員《せいそういん》はコナンに小銭《こぜに》を握《にぎ》らせた。

「え？　50円玉《えんだま》…？」

「あの男《おとこ》、慌《あわ》てておって、券売機《けんばいき》から出《で》て来《き》たおつりの中《なか》の50円玉《えんだま》を取《と》りそこねたんじゃ！」

清掃員《せいそういん》は、親切《しんせつ》にも、黒《くろ》い帽子《ぼうし》の男《おとこ》がとり忘《わす》れたおつりをコナンに渡《わた》してくれたのだ。

そして、黒《くろ》い帽子《ぼうし》の男《おとこ》はどうやら、切符《きっぷ》を買《か》ってどこかへ行《い》ってしまったらしい。

「そ、それ、どこの券売機《けんばいき》!?」

と、コナンはあわてて聞《き》いた。この清掃員《せいそういん》が、黒《くろ》い帽子《ぼうし》の男《おとこ》が切符《きっぷ》を買《か》うところを見《み》ていたのなら、行《い》き先《さき》がわかるかもしれない。

「そこの東都線《とうとせん》のヤツじゃよ…」

「どのボタン押《お》したかわかる⁉」

「さぁてねぇ…500円玉《えんだま》を一《ひと》つ入《い》れて、おつりがジャラジャラ出《で》て来《き》とったのは見《み》えたんじゃが…」

コナンは券売機《けんばいき》のところへ走《はし》っていって、押《お》しボタンに書《か》かれた切符《きっぷ》の値段《ねだん》を確認《かくにん》した。

260円《えん》、320円《えん》、380円《えん》。

(ジャラジャラって事《こと》は、おつりは小銭《こぜに》3枚以上《まいいじょう》…。500円《えん》入《い》れて50円玉《えんだま》を含《ふく》むおつりが3枚以上《まいいじょう》出《で》て来《く》る駅《えき》は…おつりが180円《えん》出《で》て来《く》る…大渡間駅《だいとまえき》!!!)

米花駅《べいかえき》から大渡間駅《だいとまえき》までの運賃《うんちん》は、大人《おとな》320円《えん》。500円玉《えんだま》を入《い》れて、50円玉《えんだま》を含《ふく》むおつりの小銭《こぜに》が三枚以上《さんまいいじょう》出《で》てくる運賃設定《うんちんせってい》の駅《えき》はほかにはない。

コナンはさっそく、切符《きっぷ》を買《か》い、電車《でんしゃ》で大渡間駅《だいとまえき》へと向《む》かった。到着《とうちゃく》する頃《ころ》には、とっぷりと日《ひ》が暮《く》れて、夜《よる》になってしまっていた。

『大渡間《だいとま》〜〜〜!　大渡間《だいとま》〜〜〜!　お降《お》りのお客様《きゃくさま》は…』

駅員《えきいん》のアナウンスを聞《き》きながら、コナンはホームに降《お》り立《た》った。

黒《くろ》い帽子《ぼうし》の男《おとこ》の足《あし》どりをつかむため、駅員《えきいん》や売店《ばいてん》の店員《てんいん》に、聞《き》き込《こ》み調査《ちょうさ》を開始《かいし》する。

しかし、残念《ざんねん》ながら、黒《くろ》い帽子《ぼうし》の男《おとこ》の情報《じょうほう》をもっている人間《にんげん》は見《み》つからなかった。

(ダメだ…。大渡間駅《だいとまえき》に来《き》てみたが、黒《くろ》い帽子《ぼうし》の男《おとこ》を覚《おぼ》えている人《ひと》はいない…)

コナンは聞《き》き込《こ》みをあきらめて、改札《かいさつ》の外《そと》へと出《で》た。

(これからどうする？　奴《やつ》らの目的《もくてき》はニセ札作《さつづく》り…とりあえず不動産屋《ふどうさんや》でもあたってみるのが筋《すじ》か…)

ニセ札《さつ》を作《つく》るためには、印刷機《いんさつき》などの設備《せつび》が必要《ひつよう》だ。倉庫《そうこ》など、ある程度《ていど》の広《ひろ》さの物件《ぶっけん》を借《か》りている可能性《かのうせい》が高《たか》い。ちょうど駅前《えきまえ》に、根岸不動産《ねぎしふどうさん》という不動産屋《ふどうさんや》があったので、コナンはさっそく、訪《たず》ねてみることにした。

店《みせ》に入《はい》ると、スーツを着《き》たスタッフの男《おとこ》が対応《たいおう》に出《で》てくる。

最近誰《さいきんだれ》かに倉庫《そうこ》を貸《か》していないか聞《き》いてみると、スタッフは「倉庫《そうこ》？」と首《くび》をかしげた。

「うん！　人目《ひとめ》のつかない町外《まちはず》れの、何《なに》やっても怪《あや》しまれない倉庫《そうこ》を、誰《だれ》かに貸《か》してない？」

スタッフは、資料《しりょう》のファイルをぺらぺらとめくりながら、首《くび》を振《ふ》った。

「さぁ…最近倉庫《さいきんそうこ》なんて貸《か》してないよ…」

「もしかしたら何年《なんねん》も前《まえ》かも…」

コナンはくいさがったが、スーツの男《おとこ》は「──ったく」と面倒《めんどう》そうにため息《いき》をつくと、ファイルをぱたんと閉《と》じてしまった。

「仕事《しごと》の邪魔《じゃま》だ！　早《はや》く友達《ともだち》連《つ》れて帰《かえ》んな！」

「友達《ともだち》…？」

コナンは一人《ひとり》でここまで来《き》たというのに、友達《ともだち》とは誰《だれ》のことだろう。不思議《ふしぎ》そうにしていると、スーツの男《おとこ》は、通《とお》りに面《めん》した窓《まど》ガラスの方《ほう》を指《ゆび》さした。

「ホラ、ボウズの連《つ》れだろ？　あの子《こ》ら…」

振《ふ》り返《かえ》ると、歩美《あゆみ》、光彦《みつひこ》、元太《げんた》が、じとっとした目《め》でガラスごしにコナンの方《ほう》をにらんでいた。そばには、灰原《はいばら》の姿《すがた》もあって、無表情《むひょうじょう》にコナンを見《み》つめている。俊也《としや》も一緒《いっしょ》にいるようだ。

「え？　お、おまえら!?」

元太《げんた》たちは店《みせ》の中《なか》に入《はい》ってくると、「いつもいつも同《おな》じ手《て》にのるかよ！」と口《くち》をとがらせた。光彦《みつひこ》も、人《ひと》さし指《ゆび》をびしっとコナンにつきつけ、「ぬけがけは君《きみ》の得意技《とくいわざ》ですからね！」と不満《ふまん》げだ。

「ど、どうしてここが…」

「灰原《はいばら》さんにいわれて、君《きみ》の後《あと》をつけて来《き》たんですよ！」

「コナン君《くん》はわたし達《たち》をおっぱらって一人《ひとり》で追跡《ついせき》する気《き》だからって…。ね！」

光彦《みつひこ》と歩美《あゆみ》が口々《くちぐち》に説明《せつめい》すると、コナンは「へー…」と感心《かんしん》して灰原《はいばら》を見《み》つめた。灰原《はいばら》は店内《てんない》にあった雑誌《ざっし》をヒマそうに読《よ》んでいる。すぐにコナンに言《い》いくるめられてしまう歩《あゆ》美《み》や光彦《みつひこ》や元太《げんた》とちがい、灰原《はいばら》は一筋縄《ひとすじなわ》ではいかないようだ。

気《き》の弱《よわ》い俊也《としや》は歩美《あゆみ》たちと一緒《いっしょ》には店内《てんない》に入《はい》らず、気後《きおく》れしたように外《そと》から様子《ようす》をうかがっていたが、やがておずおずと入《はい》ってきて、スーツの男《おとこ》に声《こえ》をかけた。

「あのー、この辺《へん》に、小説家《しょうせつか》の人《ひと》、住《す》んでませんか…」

俊也《としや》はどうして、そんなことを聞《き》くのだろう。コナンは疑問《ぎもん》に思《おも》い、「小説家《しょうせつか》？　なんだよ、それ？」と、俊也《としや》にたずねた。

「お兄《にい》ちゃん、いなくなった後《あと》、一度《いちど》だけ家《いえ》に電話《でんわ》して来《き》たんだ…。電話《でんわ》取《と》ったの、ウチのおばーちゃんなんだけど…耳《みみ》が遠《とお》いし、お兄《にい》ちゃん、早口《はやくち》で何《なに》いってるかわかんなくて…。ちゃんと聞《き》きとれたのは…『漱石《そうせき》みたいな人達《ひとたち》といっしょにいる』って言葉《ことば》だけだったって…」

「漱石《そうせき》…みたいな…？」

漱石《そうせき》みたいな人《ひと》――という言葉《ことば》があまりに不可解《ふかかい》で、コナンは頬《ほお》に汗《あせ》を浮《う》かべた。

漱石《そうせき》みたいな人《ひと》、とは、見《み》た目《め》が夏目漱石《なつめそうせき》に似《に》ている人《ひと》、という意味《いみ》だろうか。それとも、性格《せいかく》や行動《こうどう》などほかの要素《ようそ》が似《に》ているのだろうか？

「その事《こと》、警察《けいさつ》の人《ひと》にいったんですか？」

光彦《みつひこ》に聞《き》かれ、俊也《としや》は「いったよ！」と勢《いきお》いよく答《こた》えた。

「でも、いくら捜《さが》してもそんな人《ひと》いないから…おばーちゃんの聞《き》きまちがいか、イタズラ電話《でんわ》だったんじゃないかって…」

「でもお兄《にい》さんって漱石《そうせき》って人《ひと》のファンなんでしょ？」と、歩美《あゆみ》。

「だったら心配《しんぱい》ねーんじゃねーの？」と、元太《げんた》。

俊也《としや》は「でも…」と困《こま》ったようにうつむいた。

「お兄《にい》ちゃんの声《こえ》、震《ふる》えてて、途中《とちゅう》で電話《でんわ》を切《き》られちゃったっておばーちゃんが…」

（なるほど…）

と、コナンは納得《なっとく》した。

（奴《やつ》らの目《め》を盗《ぬす》んで電話《でんわ》したが…見《み》つかって切《き》られちまったってところか…）

だとすれば、漱石《そうせき》みたいな人《ひと》たちと一緒《いっしょ》にいる、というのは、黒《くろ》い帽子《ぼうし》の男《おとこ》たちにつながる重要《じゅうよう》なヒントになりそうだ。

「そーいやー漱石似《そうせきに》の男《おとこ》なら、この近《ちか》くに住《す》んでるぞ！」

コナンたちの会話《かいわ》を聞《き》いていた不動産屋《ふどうさんや》のスタッフが、口《くち》をはさんできた。

「え？」

「角《かど》の本屋《ほんや》の店長《てんちょう》なんだが、あだ名《な》が『千円札《せんえんさつ》』っていってな…」

スタッフの証言《しょうげん》を聞《き》いて、歩美《あゆみ》と元太《げんた》、そして光彦《みつひこ》は「そ、それだ‼」と色《いろ》めきたった。

ニセ札作《さつづく》りのために俊也《としや》の兄《あに》を誘拐《ゆうかい》したのは、漱石似《そうせきに》だという、その本屋《ほんや》の店長《てんちょう》にちがいない。


歩美《あゆみ》たちはさっそく、不動産屋《ふどうさんや》のスタッフに案内《あんない》してもらって、角《かど》の本屋《ほんや》にのりこんでいった。店内《てんない》で商品《しょうひん》にハタキをかけていた男《おとこ》は、立派《りっぱ》なヒゲをたくわえていて、確《たし》かに夏目漱石《めそうせき》にそっくりだ。

歩美《あゆみ》たちは即座《そくざ》に、ニセ札《さつ》を作《つく》っているだろうと詰《つ》め寄《よ》ると、店長《てんちょう》は「ふざけるな!! 何《なに》がニセ札《さつ》だ!!!」と怒《おこ》りだしてしまった。

「とっとと出《で》てけ!!」

大声《おおごえ》で怒鳴《どな》られ、店《みせ》の外《そと》まで追《お》いだされてしまう。

不動産屋《ふどうさんや》のスタッフは「だからやめなっていったろ?」と、あきれ顔《がお》だ。

しかし歩美《あゆみ》たちはあきらめず、店《みせ》の外《そと》をうろつきながら、店内《てんない》の様子《ようす》をじっとうかがった。

「なんだよ、あのおっさん!!」

元太《げんた》はジッと店長《てんちょう》をにらみ、光彦《みつひこ》も「怪《あや》しいですね…」と同意《どうい》する。二人《ふたり》とも、店長《てんちょう》がニセ札《さつ》を作《つく》っている犯人《はんにん》だと信《しん》じて疑《うたが》っていないようだ。

「いや…たぶんこの本屋《ほんや》は無関係《むかんけい》だ…。本《ほん》の倉庫《そうこ》も調《しら》べたけど、ニセ札《さつ》を刷《す》るための印刷《いんさつ》機《き》はなかったよ…」

コナンが、店《みせ》から出《で》てきて言《い》う。歩美《あゆみ》たちが店長《てんちょう》とやりあっている間《あいだ》に、店《みせ》の中《なか》や倉庫《そうこ》の中《なか》までこっそりと調《しら》べていたのだ。

「印刷機《いんさつき》っていやー、駅前《えきまえ》の新聞社《しんぶんしゃ》が、こないだ新《あたら》しいヤツ入《い》れてたなぁ」

不動産屋《ふどうさんや》のスタッフが、思《おも》い出《だ》したように言《い》う。

コナンが「新聞社《しんぶんしゃ》？」と聞《き》くと、不動産屋《ふどうさんや》のスタッフは、通《とお》りの向《む》かい側《がわ》にある雑居《ざっきょ》ビルを指《ゆび》さした。

「ホラ、交番《こうばん》の横《よこ》のビルの三階《さんがい》にある新聞社《しんぶんしゃ》だよ…。あそこも、二年前《にねんまえ》にウチが扱《あつか》った物件《ぶっけん》さ！」

「その人達《ひとたち》ってどんな人《ひと》だった？」

「いつも縁《ふち》の広《ひろ》い黒《くろ》い帽子《ぼうし》をかぶった女社長《おんなしゃちょう》がやってる、小《ちい》さな新聞社《しんぶんしゃ》さ！」

黒《くろ》い帽子《ぼうし》といえば、展覧会《てんらんかい》に来《き》ていたという女《おんな》の特徴《とくちょう》と一致《いっち》する。コナンは（え…）と目《め》を見開《みひら》いた。

「でも刷《す》ってるのはニセ札《さつ》じゃなく、この町《まち》の情報誌《じょうほうし》…。いくらなんでも交番《こうばん》の横《よこ》じゃ刷《す》らねーよ…」

そう言《い》い残《のこ》すと、不動産屋《ふどうさんや》のスタッフは、自分《じぶん》の役目《やくめ》は終《お》わったとばかり店《みせ》へと戻《もど》っていってしまった。

残《のこ》された歩美《あゆみ》たちは、困惑《こんわく》した表情《ひょうじょう》で顔《かお》を見合《みあ》わせた。

「……ねえ…その新聞社《しんぶんしゃ》ってもしかして…」

歩美《あゆみ》の言葉《ことば》に、光彦《みつひこ》が「で、でも漱石《そうせき》とはなんの関係《かんけい》も…」と反論《はんろん》する。

「石《いし》に漱《くちすす》ぎ流《なが》れに枕《まくら》す…」

コナンが突然《とつぜん》つぶやき、歩美《あゆみ》たちは「え？」と驚《おどろ》いて顔《かお》をあげた。

「漱石《そうせき》がその名《な》の由来《ゆらい》にした、有名《ゆうめい》な故事《こじ》だ…。意味《いみ》は『偏屈《へんくつ》』…。普通《ふつう》、水《みず》の流《なが》れで口《くち》をすすぎ、石《いし》を枕《まくら》にするだろ？　それを逆《ぎゃく》にするって事《こと》は、相当《そうとう》な変《か》わり者《もの》ってわけさ…。そう…普通《ふつう》、ニセ札《さつ》を作《つく》るのなら、人目《ひとめ》を避《さ》けて町外《まちはず》れにしたくなるが…奴《やつ》らはあえてにぎやかな駅前《えきまえ》の、しかも交番《こうばん》の横《よこ》にその拠点《きょてん》を置《お》いたんだ！　一見偏屈《いっけんへんくつ》な変《か》わり者《もの》の行為《こうい》に見《み》えるが…警察《けいさつ》の盲点《もうてん》をつくにはこれ以上《いじょう》の位置取《いちど》りはない!!　君《きみ》のお兄《にい》さんはきっと、この事《こと》を伝《つた》えたかったんだ…」

「じゃあお兄《にい》ちゃんは…」

「ああ、オレの推理《すいり》どおりなら…。おそらくあの新聞社《しんぶんしゃ》の中《なか》に…」

コナンは、新聞社《しんぶんしゃ》が入《はい》っている雑居《ざっきょ》ビルの三階《さんがい》を見《み》あげた。そこには【蓮河《れんが》ビル３F《かい》大渡間新聞社《だいとましんぶんしゃ》】と看板《かんばん》が出《で》ている。

コナンの推理《すいり》が正《ただ》しければ、俊也《としや》の兄《あに》は、あの新聞社《しんぶんしゃ》に監禁《かんきん》され、ニセ札作《さつづく》りのために漱石《そうせき》の絵《え》を描《か》かされているはずだ。


コナンたちは、駅前《えきまえ》の交番《こうばん》を訪《たず》ね、大渡間新聞社《だいとましんぶんしゃ》がニセ札《さつ》を作《つく》っていることを通報《つうほう》した。しかし警察官《けいさつかん》たちは、子供《こども》の言《い》うことを真面目《まじめ》にとりあってはくれない。

「だからさっきからいってんだろ？　隣《となり》の新聞社《しんぶんしゃ》の奴《やつ》らはこいつの兄《にい》ちゃんさらって、ニセ札作《さつつく》ってるってよー!!」

必死《ひっし》に説得《せっとく》しようとする元太《げんた》を、警察官《けいさつかん》たちは「ぷっ…プハハハ!!」と笑《わら》いとばした。

「コラ！　ギャング映画《えいが》の観過《みす》ぎだぞ、ボウズ!!」

「ホントにホントよ!!」

歩美《あゆみ》がくいさがり、光彦《みつひこ》も「信《しん》じてくださいよ〜〜〜!!」と懇願《こんがん》するが、警察官《けいさつかん》たちの態《たい》度《ど》は変《か》わらない。

(ガキがいきなりこんな事《こと》いって、信《しん》じてくれって方《ほう》が無理《むり》な話《はなし》か…)

コナンは、警察官《けいさつかん》たちの説得《せっとく》を早々《そうそう》にあきらめ、別《べつ》の方法《ほうほう》をとることにして、歩美《あゆみ》たちに「おいオメーら、そこから絶対動《ぜったいうご》くんじゃねーぞ!!」と声《こえ》をかけた。

「え?」

突然《とつぜん》、そんなことを言《い》われて戸惑《とまど》う歩美《あゆみ》たちに、「いいか! 絶対《ぜったい》だぞ!!」と念押《ねんお》しして、ダッとその場《ば》から走《はし》り去《さ》る。

「コ、コナン君《くん》!?」

歩美《あゆみ》はあわてて後《あと》を追《お》おうとしたが、コナンは足《あし》が速《はや》く、あっという間《ま》に見《み》えなくなってしまった。

残《のこ》された少年探偵団《しょうねんたんていだん》たちは、わけがわからない。

「動《うご》くなっていわれると…」

「動《うご》きたくなっちゃうよな…」

光彦《みつひこ》と元太《げんた》は、コナンが去《さ》っていった方角《ほうがく》を見《み》ながら、口々《くちぐち》につぶやいた。

交番《こうばん》で訴《うった》えても信《しん》じてもらえなかったので、コナンは知《し》り合《あ》いの目暮十三《めぐれじゅうぞう》警部《けいぶ》に直接連《ちょくせつれん》絡《らく》をとることにした。蝶《ちょう》ネクタイ型変声機《がたへんせいき》のダイヤルを工藤新一《くどうしんいち》の声《こえ》に合《あ》わせ、公衆電話《こうしゅうでんわ》から、警視庁《けいしちょう》にいる目暮警部《めぐれけいぶ》に電話《でんわ》をかける。

『なに⁉　ニセ札《さつ》⁉　本当《ほんとう》かね、新一君《しんいちくん》⁉』

事情《じじょう》を聞《き》いた目暮警部《めぐれけいぶ》は、声《こえ》を裏返《うらがえ》して驚《おどろ》いた。

『ええ…まだ確証《かくしょう》はありませんがおそらく…。それと突入《とつにゅう》する時《とき》には、要注意《ようちゅうい》を…。犯人《はんにん》は人質《ひとじち》を盾《たて》にとる可能性《かのうせい》がありますので』

冷静《れいせい》に状況《じょうきょう》を告《つ》げると、コナンはガチャッと受話器《じゅわき》を置《お》き、変声機《へんせいき》を口《くち》もとから離《はな》した。

「………」

(黒《くろ》ずくめの女《おんな》か…。そういえば前《まえ》に…前《まえ》に一人《ひとり》…)

ふと頭《あたま》をよぎるのは、以前《いぜん》に出会《であ》ったことのある、一人《ひとり》の女性《じょせい》のこと。

彼女《かのじょ》は本名《ほんみょう》を宮野明美《みやのあけみ》といい、広田雅美《ひろたまさみ》という偽名《ぎめい》を使《つか》って、コナンが居候《いそうろう》する毛利探《もうりたん》偵事務所《ていじむしょ》を訪《おとず》れた。実《じつ》は宮野明美《みやのあけみ》の正体《しょうたい》は黒《くろ》ずくめの組織《そしき》の一員《いちいん》で、上層部《じょうそうぶ》の命令《めいれい》により十億円強盗事件《じゅうおくえんごうとうじけん》を起《お》こした実行犯《じっこうはん》でもあった。

組織《そしき》は盗《ぬす》んだ十億円《じゅうおくえん》のありかを教《おし》えるよう宮野明美《みやのあけみ》に迫《せま》ったが、彼女《かのじょ》は口《くち》を割《わ》らなかったため、裏切者《うらぎりもの》と判断《はんだん》されてジンに射殺《しゃさつ》されてしまった。死《し》の直前《ちょくぜん》、宮野明美《みやのあけみ》は、自分《じぶん》の正体《しょうたい》をコナンに打《う》ち明《あ》け、盗《ぬす》んだ十億円《じゅうおくえん》をホテルのフロントに預《あず》けたと伝《つた》えている。

宮野明美《みやのあけみ》は、現時点《げんじてん》でコナンが把握《はあく》している黒《くろ》ずくめの組織《そしき》の構成員《こうせいいん》の中《なか》で、唯一《ゆいいつ》の女《じょ》性《せい》だ。コナンにとって、強《つよ》く印象《いんしょう》に残《のこ》っている相手《あいて》でもあった。

元太《げんた》と光彦《みつひこ》、歩美《あゆみ》、そして灰原《はいばら》は、コナンに言《い》われたことを守《まも》らず、新聞社《しんぶんしゃ》に直接突入《ちょくせつとつにゅう》しようとしていた。

「ダメよ、元太君《げんたくん》。コナン君《くん》が動《うご》くなっていってたでしょ？」

雑居《ざっきょ》ビルの階段《かいだん》をあがりながら、歩美《あゆみ》が不安《ふあん》そうに声《こえ》をかける。しかし、先《さき》を歩《ある》く元太《げんた》は、「うっせーな！」と聞《き》く耳《みみ》をもたなかった。

「何《なに》か証拠《しょうこ》見《み》つけなきゃ、あの警官《けいかん》が信《しん》じてくれねーんだよ！」

どうやら元太《げんた》は、交番《こうばん》の警察官《けいさつかん》たちに笑《わら》いとばされたのがよほど悔《くや》しかったらしい。

三階《さんがい》まで階段《かいだん》をあがると、元太《げんた》は新聞社《しんぶんしゃ》のドアノブをひねった。幸《さいわ》いにも入《い》り口《ぐち》は施錠《せじょう》されておらず、ドアはあっさりと開《あ》いた。

「あれ…。誰《だれ》もいねーなぁ…」

室内《しつない》を見《み》まわし、首《くび》をひねる。

デスクと椅子《いす》が並《なら》んだ、どこにでもあるオフィスだった。

「ニセ札《さつ》なんて、どこにもありませんねぇ…」

「コナンの奴《やつ》、まちがえてんじゃねーのか？」

オフィスの中《なか》をきょろきょろと見《み》まわしながら、元太《げんた》と光彦《みつひこ》が口々《くちぐち》に言《い》う。

灰原《はいばら》も、さりげなく周囲《しゅうい》を物色《ぶっしょく》して、デスクの上《うえ》に置《お》かれたボトル容器《ようき》に目《め》をとめた。

手《て》にとってラベルを確認《かくにん》してみると、画用液《がようえき》と書《か》かれている。油絵《あぶらえ》の具《ぐ》と混《ま》ぜて絵《え》の具《ぐ》を伸《の》びやすくしたり、色彩《しきさい》の透明度《とうめいど》を高《たか》めたり艶《つや》を出《だ》したりするのに使《つか》われる、油絵《あぶらえ》の具《ぐ》の補助溶液《ほじょようえき》だ。

デスクの上《うえ》にはさまざまなメーカーの画用液《がようえき》のボトルが置《お》いてあり、いずれも中身《なかみ》はからっぽだった。

「……」

（多種類《たしゅるい》の画用液《がようえき》…試《ため》したのね…）

ラベルの表記《ひょうき》を読《よ》みながら、灰原《はいばら》は心《こころ》の中《なか》でつぶやいた。


新聞社《しんぶんしゃ》の奥《おく》の部屋《へや》では、ニセ札犯《さつはん》たちがもめていた。

パン！

乾《かわ》いた音《おと》と共《とも》に、コンビニでタバコを買《か》っていたあの黒《くろ》い帽子《ぼうし》の男《おとこ》が、床《ゆか》に倒《たお》れこむ。

ボスの女《おんな》に、思《おも》いきり頬《ほお》をビンタされたのだ。

「か、勘弁《かんべん》してくれよ、姉《あね》ゴ…」

痛《いた》そうに頬《ほお》をおさえる黒《くろ》い帽子《ぼうし》の男《おとこ》を、ボスの女《おんな》は冷《つめ》たく見《み》おろした。

「いったはずだろ？　あれは透《す》かしの入《はい》っていない試作品《しさくひん》…使《つか》うなって！」

「あ、あんまり出来《でき》がよかったからつい…」

ボスの女《おんな》は、不動産屋《ふどうさんや》のスタッフが言《い》っていたとおりつばの広《ひろ》い黒《くろ》い帽子《ぼうし》をかぶり、膝《ひざ》上丈《うえたけ》の黒《くろ》いワンピースを着《き》ていた。全身黒《ぜんしんくろ》ずくめの服装《ふくそう》だ。

「フン…今《いま》にいやになるほど使《つか》わせてあげるよ…。こんな出来《でき》そこないの夏目漱石《なつめそうせき》なんかより数段上《すうだんうえ》の…福沢諭吉《ふくざわゆきち》をねえ…」

そう言《い》うと、ボスの女《おんな》は、机《つくえ》に向《む》かっている若《わか》い男性《だんせい》に視線《しせん》を向《む》けた。彼《かれ》は俊也《としや》の兄《あに》で、ニセ札犯《さつはん》たちにデスクに向《む》かわされ、絵《え》を描《か》かされているのだ。すぐそばには、黒《くろ》いT《ティー》シャツを着《き》て包帯《ほうたい》で右腕《みぎうで》を吊《つ》った白《しろ》ヒゲの男《おとこ》が立《た》っていて、俊也《としや》の兄《あに》の作業《さぎょう》を見張《みは》っている。

そして、部屋《へや》の中《なか》にはもう一人《ひとり》、彼《かれ》らの仲間《なかま》がいた。黒《くろ》いワイシャツの上《うえ》にベストを着《き》て、サングラスをかけた、小太《こぶと》りの男性《だんせい》だ。

ニセ札犯《さつはん》たちは全員《ぜんいん》が、黒《くろ》い服《ふく》を身《み》につけていた。

「それよりちゃんと買《か》って来《き》たんだろーね？　指定《してい》した画用液《がようえき》…」

ボスの女《おんな》に詰《つ》め寄《よ》られ、黒《くろ》い帽子《ぼうし》の男《おとこ》はあわてたように、持《も》っていたビニール袋《ぶくろ》を持《も》ちあげてみせた。

「あ、ああ、買《か》い占《し》めてきた！　いろいろ試《ため》したけど、透《す》かしにはこれが一番《いちばん》…」

その時《とき》、小太《こぶと》りの男性《だんせい》が、パソコンのモニターを見《み》ながら「お、おい!!」と声《こえ》をあげた。

「隣《となり》の部屋《へや》に誰《だれ》かいるぞ!!　ガ、ガキだ!!　ガキが五人《ごにん》!!」

見《み》るとモニターには監視《かんし》カメラの映像《えいぞう》が流《なが》れていて、隣《となり》の部屋《へや》に勝手《かって》に入《はい》りこんでいる少年探偵団《しょうねんたんていだん》たちの姿《すがた》がバッチリ映《うつ》しだされている。

俊也《としや》も一緒《いっしょ》にいるのを見《み》て、俊也《としや》の兄《あに》は、「と、俊也《としや》!!」と、思《おも》わず画面《がめん》にかぶりついた。

「な!?」

小太《こぶと》りの男《おとこ》は、ちっと舌打《したう》ちすると、騒《さわ》がれないよう俊也《としや》の兄《あに》の口《くち》を後《うし》ろからふさいだ。

俊也《としや》が兄《あに》を捜《さが》してのりこんできたことを知《し》り、ボスの女《おんな》は冷酷《れいこく》な笑《え》みを浮《う》かべて、モニターをのぞきこんだ。

「へぇー…。お兄《にい》ちゃんを探《さが》してここまでねぇ…」

低《ひく》い声《こえ》でつぶやくと、拳銃《けんじゅう》をとりだして「かわいいじゃないのさ…」と続《つづ》ける。ボスの女《おんな》は、この拳銃《けんじゅう》で、俊也《としや》や少年探偵団《しょうねんたんていだん》たちを始末《しまつ》するつもりなのだった。

一方《いっぽう》、目暮警部《めぐれけいぶ》との通話《つうわ》を終《お》えたコナンは、歩美《あゆみ》たちの姿《すがた》が見《み》えないことに気《き》づいて焦《あせ》っていた。交番《こうばん》の警察官《けいさつかん》たちに聞《き》いてみると、全員《ぜんいん》で例《れい》の新聞社《しんぶんしゃ》にのりこんでいったと言《い》う。

「ええ？　あいつらが新聞社《しんぶんしゃ》の中《なか》に入《はい》ってってた!?」

事情《じじょう》を聞《き》いたコナンは、驚《おどろ》いて聞《き》き返《かえ》した。

「ああ…必《かなら》ず証拠《しょうこ》を見《み》つけてやるって、五人《ごにん》そろって…」

警察官《けいさつかん》の答《こた》えを聞《き》くなり、コナンは（あのバカ!!）と内心《ないしん》で舌打《したう》ちして、走《はし》りだした。

「お、おい…」

警察官《けいさつかん》の制止《せいし》をふりきり、雑居《ざっきょ》ビルの中《なか》へととびこむと、新聞社《しんぶんしゃ》の入《はい》っている三階《さんがい》まで一気《いっき》に階段《かいだん》を駆《か》けあがる。

早《はや》く行《い》かなければ、歩美《あゆみ》たちに危険《きけん》が迫《せま》っているかもしれない。

（もしかしたらあいつらは…あいつらは…黒《くろ》ずくめの男《おとこ》の仲間《なかま》かもしれねぇんだぞ!!）

その頃《ころ》。

真夜中《まよなか》の東京《とうきょう》を、ポルシェ356A《エー》というドイツの古《ふる》い車《くるま》が走《はし》っていた。運転席《うんてんせき》でハンドルを握《にぎ》るのは、黒《くろ》ずくめの組織《そしき》の幹部《かんぶ》・ジン。銀髪《ぎんぱつ》を長《なが》く伸《の》ばし、冷《つめ》たい目《め》をした長身《ちょうしん》の男《おとこ》だ。

ジンは運転《うんてん》をしながら、電話《でんわ》をスピーカーモードにして誰《だれ》かと通話《つうわ》をしているようだった。

「そうか…奴《やつ》はまだ行方《ゆくえ》知《し》れずか…」

ジンが淡々《たんたん》と言《い》うと、電話《でんわ》の相手《あいて》は『すまねぇ、兄《あに》キ…』と暗《くら》い声《こえ》を出《だ》した。

『八方《はっぽう》、手《て》は尽《つ》くしてるんだが…。しかしまだ信《しん》じられねぇよ…奴《やつ》があそこから姿《すがた》を消《け》したなんて…』

「フン…。屍《しかばね》がなかったたって事《こと》は、殺《バラ》しそこねたたって事《こと》だ…」

どうやら誰《だれ》かが組織《そしき》から脱走《だっそう》したようだ。電話《でんわ》の相手《あいて》は、脱走者《だっそうしゃ》の足《あし》どりを追《お》っているが、いまだに行方《ゆくえ》はつかめていないらしい。

「とにかく早《はや》く見《み》つけ出《だ》して、オレの前《まえ》に引《ひ》きずり出《だ》せ…。奴《やつ》の口《くち》から組織《われわれ》の事《こと》がバレたらマズイ…」

そう言《い》うと、ジンは「もちろん…生死《せいし》は問《と》わねーぜ…」とつけくわえ、冷《つめ》たく口《くち》もとをゆがめて笑《わら》った。


無謀《むぼう》にも、ニセ札作《さつづく》りの現場《げんば》に潜入《せんにゅう》した少年探偵団《しょうねんたんていだん》…。

それを待《ま》ち受《う》ける黒《くろ》い帽子《ぼうし》の女《おんな》の銃口《じゅうこう》が、冷《つめ》たく笑《わら》う…。

彼女《かのじょ》は本当《ほんとう》に黒《くろ》ずくめの男《おとこ》の仲間《なかま》なのか…？

コナンは謎《なぞ》を解《と》き明《あ》かすべく、真実《しんじつ》への階段《かいだん》を駆《か》け上《あ》がる！　仲間《なかま》を助《たす》けるために…そして…工藤新一《くどうしんいち》を取《と》り戻《もど》すために!!!

（くそっ、元太達《げんたたち》!!　あれほど交番《こうばん》の前《まえ》から動《うご》くなっていったのに…）

コナンは苦々《にがにが》しげに奥歯《おくば》を噛《か》みしめながらも、雑居《ざっきょ》ビルの階段《かいだん》を一気《いっき》に駆《か》けあがり、三《さん》階《がい》の新聞社《しんぶんしゃ》までたどりついた。

室内《しつない》からは、歩美《あゆみ》と元太《げんた》が話《はな》す声《こえ》が聞《き》こえてくる。

「ね、元太君《げんたくん》？　もー戻《もど》ろーよ…誰《だれ》か来《き》たら怒《おこ》られちゃうよ…」

「うっせーなー!!　帰《かえ》りたきゃ、歩美一人《あゆみひとり》で帰《かえ》れよ！」

二人《ふたり》の元気《げんき》そうな声《こえ》を聞《き》いて、コナンはホッと胸《むね》をなでおろした。

（まだ、みんな無事《ぶじ》みてーだ…）

ドアの前《まえ》で一度《いちど》立《た》ち止《ど》まり、ハァハァとあがった息《いき》を整《ととの》えてから、ドアノブに手《て》を伸《の》ばす。

（よーし、今《いま》の内《うち》に早《はや》くここからみんなを避難《ひなん》させて…）

と、その時《とき》、ジャキッと音《おと》がして、頭《あたま》の後《うし》ろに硬《かた》いものが押《お》し当《あ》てられた。

コナンはとっさに身体《からだ》を硬直《こうちょく》させた。いつの間《ま》にか、ニセ札犯《さつはん》の仲間《なかま》の、あの小太《こぶと》りの男《おとこ》が背後《はいご》に立《た》っていて、コナンを銃《じゅう》で脅《おど》していたのだ。

「探偵《たんてい》ゴッコはそこまでだ…。ボウズ…」

小太《こぶと》りの男《おとこ》がドスの効《き》いた声《こえ》で言《い》う。

コナンは、ドアノブに伸《の》ばしていた手《て》を、ゆっくりとおろした。


部屋《へや》の外《そと》でコナンが拳銃《けんじゅう》をつきつけられているとも知《し》らず、少年探偵団《しょうねんたんていだん》たちはオフィスの机《つくえ》を物色《ぶっしょく》し続《つづ》けていた。

デスクの上《うえ》にあった紙《かみ》の束《たば》をめくっていた光彦《みつひこ》は、妙《みょう》なものを見《み》つけてひっぱりだし、

「あれ？　ちょっと見《み》てください、これ！」

と、元太《げんた》や歩美《あゆみ》に声《こえ》をかけた。

見《み》ると、大判《おおばん》の紙《かみ》に、原寸大《げんすんだい》の一万円札《いちまんえんさつ》がずらりと印刷《いんさつ》されている。

「わぁー、一万円札《いちまんえんさつ》がいっぱーい!!」

歩美《あゆみ》が声《こえ》を弾《はず》ませる。

元太《げんた》も「すげー!!」とテンションをあげると、

「これだけありゃー、ウナ重《じゅう》がひい、ふう…」

と、このお金《かね》で買《か》えるであろうウナ重《じゅう》の数《かず》を数《かぞ》え始《はじ》めた。元太《げんた》はうなぎが大好物《だいこうぶつ》なのだ。

「でも変《へん》ですねー、この一万円札《いちまんえんさつ》…」

印刷《いんさつ》された一万円札《いちまんえんさつ》をまじまじと見《み》つめ、光彦《みつひこ》がふと首《くび》をかしげた。

「福沢諭吉《ふくざわゆきち》の左目《ひだりめ》が入《はい》ってませんよ…」

「ダルマといっしょさぁ…。願《ねが》いが叶《かな》ったら両目《りょうめ》を入《い》れるのさ…」

光彦《みつひこ》の疑問《ぎもん》に答《こた》えたのは、低《ひく》い女《おんな》の声《こえ》だった。と同時《どうじ》に、ギィイ…と隣《となり》の部屋《へや》につながるドアが開《ひら》き、ニセ札犯《さつはん》のボスの女《おんな》が、黒《くろ》い帽子《ぼうし》の男《おとこ》と一緒《いっしょ》に姿《すがた》を現《あらわ》す。

「そのニセ札《さつ》が上手《じょうず》に出来《でき》たらねぇ…」

そう言《い》うと、ボスの女《おんな》は拳銃《けんじゅう》を子供《こども》たちに向《む》けた。

ボスの女《おんな》の背後《はいご》には、動《うご》けないようロープで身体《からだ》を縛《しば》られた俊也《としや》の兄《あに》の姿《すがた》もある。

「と、俊也《としや》!!」

俊也《としや》の兄《あに》が身《み》をのりだして叫《さけ》び、俊也《としや》も「お兄《にい》ちゃん!!」と兄《あに》のもとへ駆《か》け寄《よ》ろうとした。

しかし、ニセ札犯《さつはん》の仲間《なかま》の黒《くろ》いT《ティー》シャツの男《おとこ》や、黒《くろ》い帽子《ぼうし》の男《おとこ》たちが、いつの間《ま》にか背《はい》後《ご》に回《まわ》りこんでいる。子供《こども》たちは皆《みな》、後《うし》ろから羽交《はが》い締《じ》めにされて捕《つか》まってしまった。

「な、何《なに》するんですか？」

「は、放《はな》せよ!!」

光彦《みつひこ》と元太《げんた》が身体《からだ》をよじらせるが、大人《おとな》の力《ちから》で拘束《こうそく》されては、びくともしない。

俊也《としや》の兄《あに》は血相《けっそう》を変《か》え、縛《しば》られたままボスの女《おんな》の方《ほう》へ詰《つ》め寄《よ》った。

「こ、子供達《こどもたち》に手《て》を出《だ》すな!! でないと僕《ぼく》はもう、あなた達《たち》に協力《きょうりょく》は…」

「安心《あんしん》しな…。あんたの弟《おとうと》は一番最後《いちばんさいご》までとっといてあげるよ…」

冷酷《れいこく》に言《い》うと、ボスの女《おんな》は黒《くろ》い帽子《ぼうし》の男《おとこ》に、「そこのカチューシャの女《おんな》の子《こ》をこっちに連《つ》れて来《き》な…」と命令《めいれい》した。黒《くろ》い帽子《ぼうし》の男《おとこ》が、歩美《あゆみ》をかかえあげ、ボスの女《おんな》の前《まえ》へと連《つ》れていく。

「あ、歩美《あゆみ》!!」

元太《げんた》が叫《さけ》び、俊也《としや》の兄《あに》も「お、おい、何《なに》する気《き》だ!?」とあわてて詰《つ》め寄《よ》った。

「あんたの作業《さぎょう》を早《はや》めてあげるんだよ…。一匹《いっぴき》ずつ死《し》んでいけば、あんたもやる気《き》になるんじゃない？」

そう言《い》い放《はな》つと、ボスの女《おんな》は銃口《じゅうこう》を歩美《あゆみ》の方《ほう》へまっすぐに向《む》けた。

「コナン君《くん》、助《たす》けてー!!」

「コナン？　ああ…階段《かいだん》の所《ところ》をうろついてたメガネのボウヤならもう死《し》んでるよ…」

ボスの女《おんな》がせせら笑《わら》いながら言《い》う。

「え？」

コナンが死《し》んだと聞《き》かされ、歩美《あゆみ》の目《め》から涙《なみだ》があふれた。

「うっ…う…」とすすり泣《な》く歩美《あゆみ》に銃口《じゅうこう》をつきつけ、ボスの女《おんな》は引《ひ》き金《がね》に指《ゆび》をかけた。

「すぐにあの子《こ》の所《ところ》へいかせてあげるよ…。バイバイ…お嬢《じょう》ちゃん…」

ボスの女《おんな》の指《ゆび》が、今《いま》にも引《ひ》き金《がね》を引《ひ》こうとした、その時《とき》——

ドゴッ！

ものすごい勢《いきお》いで何《なに》か硬《かた》いものが飛《と》んできて、女《おんな》が握《にぎ》っていた拳銃《けんじゅう》を弾《はじ》き飛《と》ばした。

「つっ…」

女《おんな》は痛《いた》そうに手《て》もとをおさえると、「だ、誰《だれ》だい!?」と、何《なに》かが飛《と》んできた入《い》り口《ぐち》の方《ほう》を振《ふ》り返《かえ》った。

ドアは細《ほそ》く開《ひら》いていて、そのわずかな隙間《すきま》に小《ちい》さな人影《ひとかげ》が立《た》っている。

「ダルマといっしょだと？　笑《わら》わせんな！　福沢諭吉《ふくざわゆきち》の左目《ひだりめ》がないのは、彼《かれ》を彫《ほ》ってた彫《ほ》り師《し》がケガしちまっただけの事《こと》…」

人影《ひとかげ》が口《くち》を開《ひら》き、女《おんな》は「なに!?」と顔《かお》をゆがめた。

「ホラ…そこの腕《うで》をつった白《しろ》ヒゲの男《おとこ》…。そのおっさんだろ？　本当《ほんとう》の彫《ほ》り師《し》は…。完成《かんせい》間際《まぎわ》に彫《ほ》り師《し》がケガしちまったから、慌《あわ》てて俊也君《としやくん》の兄《にい》さんを代役《だいやく》に立《た》てたんだ…。展覧会《てんらんかい》で彼《かれ》の画力《がりょく》に目《め》をつけて、うまい事呼《ことよ》び出《だ》し、ここに監禁《かんきん》してね…。プリンターの横《よこ》にある画用液《がようえき》や、机《つくえ》の上《うえ》の磁性鉄粉《じせいてっぷん》が入《はい》った容器《ようき》、こんな物《もの》まで用意《ようい》してたって事《こと》は…今度《こんど》は機械《きかい》も通《とお》す気《き》だな？」

黒《くろ》い帽子《ぼうし》の男《おとこ》がコンビニで使《つか》った千円札《せんえんさつ》には、透《す》かしがなく、自動販売機《じどうはんばいき》などの機械《きかい》では使《つか》うことができなかった。そこでニセ札犯《さつはん》たちは、大量《たいりょう》の薬剤《やくざい》を仕入《しい》れ、さらに精巧《せいこう》なニセ札《さつ》を作《つく》って今度《こんど》は機械《きかい》もあざむこうとしたのだ。灰原《はいばら》が予想《よそう》していたとおり、デスクの上《うえ》にあった何種類《なんしゅるい》もの画用液《がようえき》は、どれが透《す》かしを作《つく》るのに適《てき》しているか調《しら》べるためのものだった。

「ニセ札識別機《さつしきべつき》をクリヤーし、見た目《みめ》にもわかりづらいニセ札《さつ》を銀行《ぎんこう》、競馬場《けいばじょう》、パチンコ屋《や》などの両替機《りょうがえき》で大量《たいりょう》に現金《げんきん》に替《か》え、バレる頃《ころ》にはどこか遠《とお》くへトンズラしてるって寸法《すんぽう》だ…。そうだろ？　黒《くろ》い帽子《ぼうし》のお姉《ねえ》さん？」

「だ、誰《だれ》…？　誰《だれ》だよ、あんた!?」

ボスの女《おんな》がわめくと、人影《ひとかげ》はドアの隙間《すきま》からゆっくりと姿《すがた》を現《あらわ》した。

「江戸川《えどがわ》コナン…。探偵《たんてい》さ…」

「コ、コナン君《くん》!!」

現《あらわ》れたコナンの姿《すがた》を見《み》て、歩美《あゆみ》はぱっと笑顔《えがお》になった。コナンは、ニセ札犯《さつはん》の仲間《なかま》にやられてなどいなかったのだ。

「バ、バカな…。おまえはさっき、犬山《いぬやま》が…」

「へーこの太《ふと》ったおっさん、犬山《いぬやま》っていうのか…。わるいけど麻酔銃《ますいじゅう》で眠《ねむ》ってもらったよ…」

そう言《い》うと、コナンはドアの陰《かげ》にへたりこんでいた、大柄《おおがら》な男《おとこ》の背中《せなか》をひっぱった。

ドッと倒《たお》れこんだのは、先《さき》ほどコナンを銃《じゅう》で脅《おど》していた、あの小太《こぶと》りの男《おとこ》だ。

コナンは後頭部《こうとうぶ》に銃《じゅう》を押《お》しつけられた際《さい》、振《ふ》りむきざまに腕時計型麻酔銃《うでどけいがたますいじゅう》を撃《う》ちこんで、男《おとこ》を眠《ねむ》らせていたのだ。

「ま、麻酔銃《ますいじゅう》？」

どうして子供《こども》がそんなものを持《も》っているのかと、ボスの女《おんな》が困惑《こんわく》する。

その隙《すき》に、コナンは床《ゆか》に置《お》かれていた段《だん》ボール箱《ばこ》をごそごそとあさって、中《なか》に入《はい》っていた硬《かた》そうなペンキ缶《かん》を二《ふた》つとりだした。

「あ、そうそう…。さっきお姉《ねえ》さんにぶつけたのは、犬山《いぬやま》さんの拳銃《けんじゅう》だよ…。蹴《け》って命中《めいちゅう》させたんだ…」

そう言《い》いながら、二《ふた》つのペンキ缶《かん》をトントンと並《なら》べて床《ゆか》に置《お》く。

「け、蹴《け》った？」

「ああ…。このキック力増強《りょくぞうきょう》シューズ…でな‼」

キック力増強《りょくぞうきょう》シューズには、足《あし》のツボを電気《でんき》で刺激《しげき》して、脚力《きゃくりょく》を上昇《じょうしょう》させる効果《こうか》がある。

ドン！　ドン！

コナンはキック力増強《りょくぞうきょう》シューズのダイヤルを回《まわ》し、ペンキ缶《かん》をたて続《つづ》けに蹴《け》りあげた。

ペンキ缶《かん》はすさまじい勢《いきお》いで吹《ふ》き飛《と》び、ボスの女《おんな》の両脇《りょうわき》にいた黒《くろ》い帽子《ぼうし》の男《おとこ》と白《しろ》ヒゲの男《おとこ》を、それぞれ直撃《ちょくげき》した。

二人《ふたり》はたまらず気絶《きぜつ》して、その場《ば》に倒《たお》れこんでしまう。

これで、ボスの女《おんな》の仲間《なかま》は、全員《ぜんいん》が意識《いしき》を失《うしな》ってしまった。

「ちっ…」

ボスの女《おんな》は舌打《したう》ちをすると、先《さき》ほど弾《はじ》き飛《と》ばされて床《ゆか》に落《お》ちていた拳銃《けんじゅう》の方《ほう》へと手《て》を伸《の》ばした。

しかし、小《ちい》さな手《て》が横《よこ》から伸《の》びてきて、ボスの女《おんな》よりも先《さき》に拳銃《けんじゅう》を拾《ひろ》いあげる。

「え？」

拳銃《けんじゅう》を拾《ひろ》いあげたのは、灰原《はいばら》だ。

灰原《はいばら》は銃口《じゅうこう》をボスの女《おんな》に向《む》けると、間髪入《かんぱつい》れず引《ひ》き金《がね》を引《ひ》いた。

ドン！

銃弾《じゅうだん》はボスの女《おんな》の髪《かみ》をかすめ、帽子《ぼうし》を弾《はじ》き飛《と》ばして、窓《まど》ガラスを直撃《ちょくげき》した。ガラスが粉々《こなごな》に砕《くだ》け散《ち》り、交番《こうばん》にいた警察官《けいさつかん》が「え？」と驚《おどろ》いて新聞社《しんぶんしゃ》の方《ほう》を見《み》あげる。

至近距離《しきんきょり》で発砲《はっぽう》された恐怖《きょうふ》のあまり、ボスの女《おんな》は腰《こし》を抜《ぬ》かしてその場《ば》に座《すわ》りこんでしまった。

「は、灰原《はいばら》…さん？」

まさか灰原《はいばら》が発砲《はっぽう》するとは思《おも》わず、コナンはあっけにとられた。

一同《いちどう》が呆然《ぼうぜん》としていると、「ど、どうかしましたか⁉」と、警察官《けいさつかん》がとびこんできた。

銃声《じゅうせい》と共《とも》に窓《まど》ガラスが割《わ》れたので、仰天《ぎょうてん》して走《はし》って来《き》たらしい。

しかし、彼《かれ》が来《き》た時《とき》には、すべてが終《お》わっていた。ボスの女以外《おんないがい》の三人《さんにん》は意識《いしき》を失《うしな》って床《ゆか》に倒《たお》れ、ボスの女《おんな》は灰原《はいばら》に発砲《はっぽう》されたショックですっかり放心状態《ほうしんじょうたい》に陥《おちい》っている。

その二十分後《にじっぷんご》、目暮警部《めぐれけいぶ》が到着《とうちゃく》し、ニセ札犯《さつはん》たちは全員拘束《ぜんいんこうそく》され、俊也《としや》の兄《あに》は解放《かいほう》された。

そして…。

「フン…こんなしょぼいヤマで足《あし》がつくとは、ドジったな…」

コナンは、連行《れんこう》されていくボスの女《おんな》に向《む》かって、そう声《こえ》をかけた。

「まあ警察《けいさつ》で洗《あら》いざらい吐《は》くんだな…。あんたらのバックにある大《おお》きな組織《そしき》の事《こと》を…」

「組織《そしき》…？」

ボスの女《おんな》が、不思議《ふしぎ》そうにコナンの方《ほう》を振《ふ》り返《かえ》る。

「とぼけんな！　あんたにも付《つ》いてんだろ？『ジン』や『ウォッカ』みてーなコードネームが…」

コナンに問《と》い詰《つ》められ、ボスの女《おんな》は要領《ようりょう》を得《え》ない顔《かお》で「ジン？　ウォッカ？」と聞《き》き返《かえ》した。

「悪《わる》いけど、私《わたし》、ずいぶん前《まえ》にお酒《さけ》とは縁《えん》を切《き》ったのよ…」

「え？」

黒《くろ》ずくめの組織《そしき》の構成員《こうせいいん》には、酒《さけ》の名前《なまえ》にちなんだコードネームがつけられている。てっきり、この女《おんな》も同《おな》じようなコードネームをもっていると思《おも》ったのだが、ちがったのだろうか？

驚《おどろ》くコナンに、目暮警部《めぐれけいぶ》が「おいおい、何《なに》をいっておるんだね、コナン君《くん》？」と声《こえ》をかけた。

「この連中《れんちゅう》は、ニセ札作《さつづく》りの常習犯《じょうしゅうはん》の『銀《ぎん》ギツネ』、多少整形《たしょうせいけい》しとるがボスのこの女《おんな》の顔《かお》は忘《わす》れんよ…」

ニセ札犯《さつはん》たちは、黒《くろ》ずくめの組織《そしき》とは無関係《むかんけい》だった。彼《かれ》らが黒《くろ》い服《ふく》を好《この》んで着《き》ているのは、たまたまだったのだ。

目暮警部《めぐれけいぶ》は表情《ひょうじょう》を厳《きび》しくして、ボスの女《おんな》の方《ほう》へ顔《かお》を向《む》けた。

「しかし今度《こんど》は銃刀法違反《じゅうとうほういはん》に発砲《はっぽう》…。当分《とうぶん》、刑務所暮《けいむしょぐ》らしだな…」

「あら、撃《う》ったのは私《わたし》じゃないわよ…。あの茶髪《ちゃぱつ》の女《おんな》の子《こ》よ…」

そう言《い》って、ボスの女《おんな》が灰原《はいばら》の方《ほう》を目《め》で示《しめ》す。

発砲《はっぽう》したのが小学一年生《しょうがくいちねんせい》の女《おんな》の子《こ》だと知《し》り、目暮警部《めぐれけいぶ》は「なに!?」と度肝《どぎも》を抜《ぬ》かれ、灰《はい》原《ばら》を叱《しか》りとばした。

「なんて危《あぶ》ない事《こと》をするんだね、君《きみ》は!?」

すごい剣幕《けんまく》で怒鳴《どな》られ、灰原《はいばら》はビクッと身体《からだ》をすくめた。

「だって…だって…」

声《こえ》を震《ふる》わせ、しまいには「うぇ——ん…」と泣《な》きだしてしまう。

「スマンスマン、おじさんが悪《わる》かった…」

目暮警部《めぐれけいぶ》があわてて謝《あやま》るが、灰原《はいばら》はなかなか泣《な》きやまない。

年相応《としそうおう》に泣《な》きじゃくる灰原《はいばら》の姿《すがた》を見《み》て、コナンは（なんだ…。やっぱ女《おんな》の子《こ》は女《おんな》の子《こ》か…）と拍子抜《ひょうしぬ》けした。先《さき》ほど躊躇《ちゅうちょ》なく銃《じゅう》を撃《う》った姿《すがた》を見《み》た時《とき》は、何者《なにもの》なのかと驚《おどろ》いたが、やはり灰原《はいばら》も年相応《としそうおう》の子供《こども》なのだろう。


かくして事件《じけん》は解決《かいけつ》し、少年探偵団《しょうねんたんていだん》たちはようやく帰路《きろ》につくことができた。

あたりはすっかり暗《くら》くなっていたので、コナンは灰原《はいばら》を家《いえ》の近《ちか》くまで送《おく》っていくことにした。灰原《はいばら》は、目暮警部《めぐれけいぶ》に怒《おこ》られてから、ずっと泣《な》き続《つづ》けている。

「おい、もう泣《な》くなよ…。君《きみ》ん家《ち》、この近《ちか》くだろ？」

コナンがやさしく声《こえ》をかけても、灰原《はいばら》はうっうっとしゃくりあげるばかりで返事《へんじ》をしない。コナンはすっかり弱《よわ》ってしまった。

(──ったく、やってらんねーぜ…。『黒《くろ》ずくめ』が人《ひと》ちがいで拍子《ひょうし》抜《ぬ》けしてんのに…。ベソかいた女《おんな》の子《こ》のお守《も》りしながら、家《いえ》までお供《とも》なんてよ…)

面倒《めんどう》に思《おも》いつつも、コナンはしっかり灰原《はいばら》を家《いえ》の近《ちか》くまで送《おく》り届《とど》けた。あとは角《かど》を曲《ま》がるだけの場所《ばしょ》に来《き》たところで「じゃあな!」と片手《かたて》をあげる。

「後《あと》は一人《ひとり》で帰《かえ》れるよな?」

コナンはそう言《い》うと、背中《せなか》を向《む》け、去《さ》っていこうとした。

すると灰原《はいばら》は突然《とつぜん》泣《な》くのをやめ、真顔《まがお》になって、こう口《くち》にした。

「APTX4869《アポトキシン》……」

「え?」

コナンが驚《おどろ》いて振《ふ》り返《かえ》ると、灰原《はいばら》の顔《かお》には涙《なみだ》のあと一《ひと》つ残《のこ》っていなかった。先《さき》ほどまでずっと泣《な》いていたのは、ウソ泣《な》きだったのだ。

「これ、なんだかわかる? あなたが飲《の》まされた薬《くすり》の名称《めいしょう》よ…」

淡々《たんたん》と言《い》われ、コナンは背筋《せすじ》に冷《つめ》たいものを感《かん》じつつも、「な、何《なに》いってんだよ?」とごまかそうとした。

「オレはそんな、変《へん》な薬《くすり》なんて…」

「あら、薬品名《やくひんめい》はまちがってないはずよ…」

そう言《い》うと、灰原《はいばら》はすごみのある笑《え》みを浮《う》かべ、「組織《そしき》に命《めい》じられて私《わたし》が作《つく》った薬《くすり》だもの…」と続《つづ》けた。

「そ、組織《そしき》…？　作《つく》った…？」

コナンの表情《ひょうじょう》が凍《こお》りつく。

確《たし》かにコナンは、組織《そしき》に飲《の》まされた薬《くすり》のせいで幼児化《ようじか》しているが、その薬《くすり》を作《つく》ったのが灰原《はいばら》だなどと聞《き》かされてもにわかには信《しん》じられなかった。なにしろ、目《め》の前《まえ》にいる灰原《はいばら》は、小学一年生《しょうがくいちねんせい》の子供《こども》なのだ。

「ハハ…まさか。子供《こども》の君《きみ》に何《なに》が…」

「あなたといっしょよ…。私《わたし》も飲《の》んだのよ…。細胞《さいぼう》の自己破壊《じこはかい》プログラムの偶発的《ぐうはってき》な作用《さよう》で、神経組織《しんけいそしき》を除《のぞ》いた骨格《こっかく》・筋肉《きんにく》・内臓《ないぞう》・体毛《たいもう》…それらすべての細胞《さいぼう》が、幼児期《ようじき》の頃《ころ》まで後退化《こうたいか》する…神秘的《しんぴてき》な毒薬《どくやく》をね…」

幼児期《ようじき》の頃《ころ》まで後退化《こうたいか》する――それはまさに、コナンが飲《の》まされた薬《くすり》の効能《こうのう》と一致《いっち》している。コナンはおののいて、「は、灰原《はいばら》…おまえ、まさか…」と声《こえ》を震《ふる》わせた。

「灰原《はいばら》じゃないわ…。シェリー…これが私《わたし》のコードネームよ…」

髪《かみ》を耳《みみ》にかけながら言《い》うと、灰原《はいばら》はうっすらと微笑《ほほえ》んで、コナンの顔《かお》を真正面《ましょうめん》から見《み》つめた。

「どう…？　驚《おどろ》いた？　工藤新一君《くどうしんいちくん》？」

黒《くろ》ずくめの組《そ》織《しき》から来《き》た女《おんな》 大《だい》学《がく》教《きょう》授《じゅ》殺《さつ》人《じん》事《じ》件《けん》②

DETECTIVE CONAN

AI HAIBARA SELECTION

「シェリー…これが私《わたし》のコードネームよ…。どう…？　驚《おどろ》いた？　工藤新一君《くどうしんいちくん》？」

灰原哀《はいばらあい》は、薬《くすり》で幼児化《ようじか》した黒《くろ》ずくめの組織《そしき》の一員《いちいん》――思《おも》ってもみなかった事実《じじつ》を告《つ》げられ、コナンの瞳《ひとみ》が揺《ゆ》れた。

「じゃ、じゃあおまえはあの、黒《くろ》ずくめの男達《おとこたち》の仲間《なかま》…」

頭《あたま》が真《ま》っ白《しろ》になりながらも、なんとか口《くち》を開《ひら》いたコナンを、灰原《はいばら》は余裕《よゆう》の表情《ひょうじょう》で「驚《おどろ》いてる暇《ひま》なんてないわよ、のろまな探偵《たんてい》さん？」と挑発《ちょうはつ》した。

「なに⁉」

「いったでしょ？　今《いま》、私《わたし》が住《す》んでるのは米花町《べいかちょう》2丁目《ちょうめ》22番地《ばんち》って…。そう…あなたの本当《ほんとう》の家《いえ》の隣《となり》…。どこだかわかるわよね？」

コナンは、薬《くすり》で幼児化《ようじか》する前《まえ》、米花町二丁目《べいかちょうにちょうめ》にある洋館《ようかん》で暮《く》らしていた。隣《となり》には、発明家《はつめいか》の阿笠博士《あがさはかせ》が住《す》んでいる。阿笠博士《あがさはかせ》は、キック力増強《りょくぞうきょう》シューズや蝶《ちょう》ネクタイ型変声機《がたへんせいき》の開発者《かいはつしゃ》で、コナンの正体《しょうたい》を知《し》る数少《かずすく》ない人間《にんげん》の一人《ひとり》でもあった。

（ま、まさか…。阿笠博士《あがさはかせ》の家《いえ》⁉）

コナンはあわてて携帯電話《けいたいでんわ》をとりだし、阿笠博士《あがさはかせ》に連絡《れんらく》をとろうとした。しかし、「ツー…ツー…」と通話中《つうわちゅう》の音声《おんせい》が流《なが》れるばかりでつながらない。

「おい、博士《はかせ》!?　おい!?」

必死《ひっし》に呼《よ》びかけるコナンに、灰原《はいばら》は「無駄《むだ》よ…」と目《め》を細《ほそ》めて笑《わら》いかけた。

「何度《なんど》かけても話《はな》し中《ちゅう》…。受話器《じゅわき》が外《はず》れたまま、彼《かれ》はとる事《こと》ができないのよ…。もうこの世《よ》には、いないんだもの…」

「て…てめぇ…」

コナンは携帯電話《けいたいでんわ》を持《も》つ手《て》に力《ちから》を込《こ》め、ギリッと奥歯《おくば》を噛《か》みしめて灰原《はいばら》をにらみつけた。

阿笠博士《あがさはかせ》の身《み》に、いったい何《なに》が起《お》きたのか——コナンは阿笠博士《あがさはかせ》の家《いえ》へと全速力《ぜんそくりょく》で走《はし》り、玄関《げんかん》のチャイムを押《お》した。すると、玄関《げんかん》のドアがあっさりと開《ひら》き、いつもと変《か》わらない様子《ようす》の阿笠博士《あがさはかせ》がひょっこりと顔《かお》を出《だ》した。

「いやースマン!　スマン!!」

拍子抜《ひょうしぬ》けするコナンを家《いえ》の中《なか》へ招《まね》き入《い》れると、阿笠博士《あがさはかせ》はそう言《い》って豪快《ごうかい》に笑《わら》った。

「最近《さいきん》、パソコン通信《つうしん》に凝《こ》っておってのー。電話回線《でんわかいせん》がふさがっておったんじゃ！」

阿笠博士《あがさはかせ》の家《いえ》のパソコンは、電話回線《でんわかいせん》を利用《りよう》して通信《つうしん》を行《おこな》っている。そのため、パソコン通信《つうしん》をしている間《あいだ》は、固定電話《こていでんわ》が通《つう》じなくなってしまうのだ。

「…………」

ともかく、阿笠博士《あがさはかせ》は無事《ぶじ》なようだ。気抜《きぬ》けするコナンをしりめに、灰原《はいばら》が「ただいまー…」と、さも自分《じぶん》の家《いえ》のようにリビングに入《はい》ってきた。

「ああ、お帰《かえ》り哀君《あいくん》！　どうじゃった、学校《がっこう》は？」

阿笠博士《あがさはかせ》に笑顔《えがお》で聞《き》かれ、灰原《はいばら》はランドセルをおろしてテーブルの上《うえ》に置《お》きながら「結構楽《けっこうたの》しめたわ…」と答《こた》えた。まるでおじいちゃんと孫娘《まごむすめ》の会話《かいわ》だ。

「あのガキ、ハメやがったな…」

コナンはじとっとした目《め》つきで灰原《はいばら》をにらんだ。灰原《はいばら》は、阿笠博士《あがさはかせ》がもうこの世《よ》にいないなどと言《い》って、コナンをからかったのだ。

「まあまあ、ワシん家《ち》の番地《ばんち》を知《し》らんかった新一君《しんいちくん》も、うかつだったわけだし…」

そう言《い》ってなだめようとする阿笠博士《あがさはかせ》を、コナンは「知《し》るわけねーだろ？」とにらみかえした。

「隣《となり》の博士《はかせ》ん家に物《もの》を送《おく》った事《こと》なんて、ねーんだから。年賀状《ねんがじょう》も手渡《てわた》しだったし…。それより、なんなんだよ、あの灰原《はいばら》って子《こ》？」

「あれ？　彼女《かのじょ》に聞《き》いておらんのか？　黒《くろ》ずくめの男《おとこ》の仲間《なかま》で…君《きみ》と同《おな》じ薬《くすり》を飲《の》んで小《ちい》さくなったって…」

衝撃《しょうげき》の事実《じじつ》をあらためてさらりと告《つ》げられ、コナンは「え？」と驚《おどろ》いて、こめかみに汗《あせ》を浮《う》かべた。

「変《へん》じゃのー。自分《じぶん》でいうから、君《きみ》には黙《だま》っててくれといっとったのに…」

「ちょ、ちょっとまてよ、博士《はかせ》…」

「ああ…『灰原哀《はいばらあい》』って名前《なまえ》なら、女探偵《おんなたんてい》の名前《なまえ》をもじって、ワシと彼女《かのじょ》の二人《ふたり》で考《かんが》えたんじゃ！　灰原《はいばら》の『灰《はい》』はコーデリア・グレイの『グレイ』！　『哀《あい》』はV《ブイ》・I《アイ》・ウォーショースキーの『I《アイ》』！　ワシは『哀《あい》』より『愛《あい》』の方《ほう》がかわいいって勧《すす》めたんじゃが…」

コーデリア・グレイとV《ブイ》・I《アイ》・ウォーショースキーは、どちらも推理小説《すいりしょうせつ》に登場《とうじょう》する女《じょ》性探偵《せいたんてい》の名前《なまえ》だ。

阿笠博士《あがさはかせ》が、のんきに灰原哀《はいばらあい》という偽名《ぎめい》の由来《ゆらい》を説明《せつめい》し始《はじ》めたので、コナンはあわてて
「んな事《こと》聞《き》いてんじゃねー!!!」とさえぎった。

「なんで、黒《くろ》ずくめの女《おんな》が博士《はかせ》の家《いえ》に…」

「拾《ひろ》ってくれたのよ…」

コナンの疑問《ぎもん》に答《こた》えたのは、灰原《はいばら》だった。

「雨《あめ》の中《なか》…あなたの家《いえ》の前《まえ》で、私《わたし》が倒《たお》れていたのを…その博士《はかせ》がね…」

「オレの家《いえ》の前《まえ》…だと…?」

「あなた、知《し》ってた? 組織《そしき》はあなたの家《いえ》に二度《にど》ほど調査員《ちょうさいん》を派遣《はけん》してたのよ…。あの薬《くすり》を飲《の》んだ人間《にんげん》の中《なか》で、あなたの死亡《しぼう》だけが確認《かくにん》されてなかったからね…。当然《とうぜん》その調査《ちょうさ》に、薬《くすり》の考案者《こうあんしゃ》である私《わたし》も同行《どうこう》したわ…。でも、家《いえ》の中《なか》はホコリだらけで、誰《だれ》も住《す》んでいる形跡《けいせき》はなく、一度目《いちどめ》はそれでお開《ひら》きになった…。二度目《にどめ》の調査《ちょうさ》はその一《いっ》か月後《げつご》…。相変《あいか》わらずホコリだらけで、どこも変《か》わった様子《ようす》はなく…私《わたし》もあなたが死亡《しぼう》したものだと思《おも》い始《はじ》めたその時《とき》よ…。洋服《ようふく》ダンスの奥《おく》の奇妙《きみょう》な変化《へんか》に気《き》づいて…鳥肌《とりはだ》が立《た》ったのは…」

灰原《はいばら》はそこで一度《いちど》言葉《ことば》をきると、うっすらと冷《つめ》たく微笑《びしょう》して続《つづ》けた。

「なくなってたのよ…。一《いっ》か月前《げつまえ》にはあったはずの、あなたの子供《こども》の頃《ころ》の服《ふく》だけがごっそり…」

「………」

コナンは言葉《ことば》を失《うしな》って黙《だま》りこんだ。

自分《じぶん》の家《いえ》に組織《そしき》の調査員《ちょうさいん》が派遣《はけん》されるかもしれないということは、コナンも予想《よそう》していたため、あえて家《いえ》の中《なか》を掃除《そうじ》せずホコリだらけにしておいた。

しかし、コナンが居候《いそうろう》している毛利探偵事務所《もうりたんていじむしょ》の毛利蘭《もうりらん》が新一《しんいち》の子供《こども》の頃《ころ》の服《ふく》を持《も》ちだしてしまった。それに気《き》づいた時《とき》、すぐに戻《もど》しておかなかったのは、どうやらうかつだったようだ。そのせいで、灰原《はいばら》に、工藤新一《くどうしんいち》が薬《くすり》で幼児化《ようじか》したことがバレてしまったのだから。

「動物実験《どうぶつじっけん》の段階《だんかい》で、一匹《いっぴき》だけ死《し》なずに幼児化《ようじか》したマウスがいたから、この仮説《かせつ》は容易《ようい》にたてられたわ…。工藤新一《くどうしんいち》はＡＰＴＸ《アポトキシン》４８６９を投与《とうよ》され…幼児化《ようじか》した可能性《かのうせい》があるってね!!!」

「……じゃあ……組織《そしき》の奴《やつ》らは、オレが小《ちい》さくなった事《こと》を…」

緊迫《きんぱく》した表情《ひょうじょう》を浮《う》かべるコナンに、灰原《はいばら》は「感謝《かんしゃ》して…」とクールに言《い》い放《はな》った。

「あなたのデータは、『死亡確認《しぼうかくにん》』に書《か》き替《か》えてあげたから。非常《ひじょう》に興味深《きょうみぶか》い素材《そざい》だから、生《い》かしておいてあげたのよ…。組織《そしき》に報告《ほうこく》したら、私《わたし》の手元《てもと》に来《く》る前《まえ》に殺《ころ》される可能性《かのうせい》が高《たか》いからね…。まあ…データを書《か》き替《か》えたのが、組織《そしき》を裏切《うらぎ》った私《わたし》だとわかれば、再《ふたた》び疑《うたが》い始《はじ》めるかもしれないけど…」

「う、裏切《うらぎ》っただと⁉」

「そうよ…試作段階《しさくだんかい》のあの薬《くすり》を勝手《かって》に人間《にんげん》に投与《とうよ》した事《こと》も、組織《そしき》に嫌気《いやけ》がさした理由《りゆう》の一《ひと》つだけど…最《もっと》も大《おお》きな原因《げんいん》は私《わたし》の姉《あね》…」

「姉《あね》…？」

灰原《はいばら》は手《て》に持《も》った雑誌《ざっし》に視線《しせん》を落《お》とし、「殺《ころ》されたのよ…。組織《そしき》の仲間《なかま》の手《て》にかかってね…」とぽつりと言《い》った。

「何度問《なんどと》いただしても、組織《そしき》はその理由《りゆう》を教《おし》えてくれなかった…。そして、その正式《せいしき》な回答《かいとう》が得《え》られるまで、私《わたし》は薬《くすり》の研究《けんきゅう》を中断《ちゅうだん》するという対抗手段《たいこうしゅだん》をとった…。当然《とうぜん》の様《よう》に、組織《そしき》に歯向《はむ》かった私《わたし》は研究所《けんきゅうじょ》の、ある個室《こしつ》に拘束《こうそく》され…私《わたし》の処分《しょぶん》を上《うえ》が決定《けってい》するまで、またされるハメになった…。どーせ殺《ころ》されるならと、その時飲《との》んだのが…隠《かく》し持《も》ってたAPTX《アポトキシン》4869…。幸運《こううん》にも、死《し》のうと思《おも》って飲《の》んだその薬《くすり》は、私《わたし》の体《からだ》を幼児化《ようじか》させ…手《て》カセから私《わたし》を解放《かいほう》し…小《ち》さなダストシュートから脱出《だっしゅつ》させてくれたのよ…」

灰原《はいばら》は、ちらりとコナンの方《ほう》を見《み》た。

「どこにも行《い》くあてがなかった私《わたし》の、唯一《ゆいいつ》の頼《たよ》りは工藤新一《くどうしんいち》…。あなただけ…。私《わたし》と同《おな》じ状況《じょうきょう》に陥《おちい》ったあなたなら、きっと私《わたし》の事《こと》を理解《りかい》してくれると思《おも》ったから…」

「ふ…ふざけんな!!! 人間《にんげん》を殺《ころ》す毒《どく》を作《つく》ってた奴《やつ》を、どう理解《りかい》しろってんだ!?」

コナンは噛《か》みつくように叫《さけ》んだ。

彼女《かのじょ》の話《はなし》を信《しん》じるなら、組織《そしき》によって薬《くすり》を飲《の》まされた工藤新一《くどうしんいち》以外《いがい》の人間《にんげん》は、みんな死《し》亡《ぼう》しているのだ。直接薬《ちょくせつくすり》を飲《の》ませたのは灰原《はいばら》ではなく、ジンやウォッカなど組織《そしき》の人間《にんげん》なのだろうが、灰原《はいばら》が自分《じぶん》の意思《いし》で毒薬《どくやく》を作《つく》っていたのだとしたら、もちろん彼女《かのじょ》にも責任《せきにん》があるはずだ。

「お、おい新一君《しんいちくん》…」

なんとかなだめようとする阿笠博士《あがさはかせ》には目《め》もくれず、コナンは「わかってんのか、てめー!!」とすごい剣幕《けんまく》で灰原《はいばら》に詰《つ》め寄《よ》った。

「おまえが作《つく》った毒薬《どくやく》のせいで、いったい何人《なんにん》の人間《にんげん》が…」

「仕方《しかた》ないじゃない…」

灰原《はいばら》は、かすれた声《こえ》でつぶやいた。

「毒《どく》なんて…作《つく》ってるつもり…なかったもの…」

「あんだと!?」

「まあまあ、彼女《かのじょ》は組織《そしき》から抜《ぬ》けたんだし…薬《くすり》の考案者《こうあんしゃ》の彼女《かのじょ》がいれば、解毒剤《げどくざい》なんてすぐに…」

阿笠博士《あがさはかせ》がフォローしようとするが、当《とう》の灰原《はいばら》は小《ち》さく肩《かた》をすくめて首《くび》を振《ふ》った。

「薬《くすり》のデータはすべて研究所内《けんきゅうじょない》…あんな膨大《ぼうだい》なデータいちいち覚《おぼ》えてないわ!」

「じゃあ教《おし》えろよ、その研究所《けんきゅうじょ》の場所《ばしょ》を!!」

怒《いか》りがおさまらない様子《ようす》のコナンに、灰原《はいばら》は棚《たな》の上《うえ》にあった新聞《しんぶん》を広《ひろ》げてみせた。

「無駄《むだ》よ…。見《み》て…三日前《みっかまえ》の夕刊《ゆうかん》…」

そこには【薬品会社炎上《やくひんがいしゃえんじょう》!!】【原因《げんいん》は未《いま》だ不明《ふめい》】という見出《みだ》しと共《とも》に、黒《くろ》い煙《けむり》をあげて炎上《えんじょう》する研究《けんきゅう》施設《しせつ》の写真《しゃしん》が掲載《けいさい》されている。コナンは灰原《はいばら》から新聞《しんぶん》をひったくり、すばやく目《め》を通《とお》した。

記事《きじ》によると、とある薬品会社《やくひんがいしゃ》が原因不明《げんいんふめい》の出火《しゅっか》により全焼《ぜんしょう》してしまったという。施設《しせつ》内《ない》にあった薬品《やくひん》やデータはすべて燃《も》えてしまったようだ。

「行《い》っても何《なに》も残《のこ》っちゃいないわ…。私《わたし》の口《くち》からその会社《かいしゃ》の事《こと》がバレるのを恐《おそ》れて、組織《そしき》が先《さき》に手《て》を打《う》ったのよ…。この分《ぶん》じゃ…私《わたし》がかかわったほかの組織《そしき》の施設《しせつ》もつぶされてるわね…」

「じゃあおまえ…奴《やつ》らに…」

「ええ…組織《そしき》は私《わたし》を血眼《ちまなこ》になって探《さが》しているでしょうね…私《わたし》がこんな体《からだ》になってるとも知《し》らずに…。でも、あの薬《くすり》をこのまま組織《そしき》が暗殺《あんさつ》のために使《つか》い続《つづ》けたら、いずれ私達《わたしたち》の様《よう》な幼児化《ようじか》する人間《にんげん》が出《で》ないともかぎらない…。そうなると私《わたし》の幼児期《ようじき》の顔《かお》を知《し》っている組織《そしき》が、私《わたし》を見《み》つけ出《だ》すのは必至《ひっし》…」

淡々《たんたん》と言《い》うと、灰原《はいばら》は試《ため》すような視線《しせん》をコナンに向《む》けた。

「どうする？　厄介者《やっかいもの》の私《わたし》をここから追《お》い出《だ》す？　高校生探偵《こうこうせいたんてい》の…工藤新一君《くどうしんいちくん》？」

コナンは唇《くちびる》をきゅっと引《ひ》き結《むす》び、灰原《はいばら》の様子《ようす》をうかがっていたが、すぐに顔《かお》の力《ちから》を抜《ぬ》いて緊張《きんちょう》を解《ほど》いた。

「バーロ、おまえの事《こと》がバレたら、オレの事《こと》がバレるのも時間《じかん》の問題《もんだい》…。博士《はかせ》には悪《わる》いが、イヤでもこのままここで小学生《しょうがくせい》してもらうぜ…。ヘタに外《そと》をうろつかれる方《ほう》が迷惑《めいわく》だ…」

「あら、やさしいのね…」

「それより、君《きみ》の親《おや》の身《み》の安全《あんぜん》の方《ほう》が…」

阿笠博士《あがさはかせ》が心配《しんぱい》して言《い》うが、灰原《はいばら》は「心配《しんぱい》ないわ!」と一蹴《いっしゅう》した。

「私《わたし》の親《おや》も、組織《そしき》の一員《いちいん》…。私《わたし》が生《う》まれてすぐ、事故《じこ》で死《し》んだらしいから…」

「じゃあ、君《きみ》の家族《かぞく》は…」

「めったに会《あ》えない姉《あね》と、私《わたし》の二人《ふたり》だけだったわ…。組織《そしき》の命令《めいれい》でアメリカ留学《りゅうがく》してた私《わたし》とちがって、姉《あね》は普通《ふつう》に日本《にっぽん》で生活《せいかつ》してたから…。監視《かんし》付《つ》きだったけどね…」

姉《あね》について口《くち》にする時《とき》、灰原《はいばら》は少《すこ》しだけ表情《ひょうじょう》をゆるませた。きっと仲《なか》のよい姉妹《しまい》だったのだろう。

「そう…姉《あね》は私《わたし》を組織《そしき》から抜《ぬ》けさせるために、組織《そしき》の仕事《しごと》に手《て》を染《そ》めるまでは…普通《ふつう》の学《がっ》校《こう》に通《かよ》い、普通《ふつう》の友人《ゆうじん》を作《つく》って、普通《ふつう》に旅行《りょこう》して…」

そこまで言《い》いかけて、灰原《はいばら》は何《なに》かに気《き》がついたかのように「……まって…」とつぶやいた。

「…そういえば、殺《ころ》される数年前《すうねんまえ》に、姉《あね》が旅行《りょこう》の写真《しゃしん》を入《い》れたフロッピーを二《に》、三枚送《さんまいおく》って来《き》たのよ…。研究所《けんきゅうじょ》のモニターでひととおり見《み》て、すぐに送《おく》り返《かえ》したんだけど…。その後《あと》、薬《くすり》のデータを入《い》れたフロッピーが紛失《ふんしつ》して…ずいぶん探《さが》したけど見《み》つかんなくて…」

灰原《はいばら》の話《はなし》の要領《ようりょう》をすぐさま理解《りかい》して、コナンは「なるほど…」とほくそ笑《え》んだ。

「お姉《ねえ》さんに送《おく》り返《かえ》したフロッピーの中《なか》に、あの薬《くすり》のデータが混《ま》ざってる可能性《かのうせい》があるってわけか…」

フロッピーとは、DVD《ディーブイディー》やUSB《ユーエスビー》メモリのように電子《でんし》データを保存《ほぞん》するための記録媒体《きろくばいたい》のことで、正式名称《せいしきめいしょう》をフロッピーディスクという。この場合《ばあい》は、約十《やくじっ》センチ四方《しほう》の薄《うす》い板《いた》状《じょう》のものだ。

「じゃー君《きみ》の姉《ねえ》さんが住《す》んでた場所《ばしょ》を探《さが》せば…」

阿笠博士《あがさはかせ》が声《こえ》を明《あか》るくするが、灰原《はいばら》は「無駄《むだ》ね…」と首《くび》を振《ふ》った。

「姉《あね》の住《す》んでたマンションは、姉《あね》の死《し》と同時《どうじ》に組織《そしき》が引《ひ》き払《はら》ったから…何《なに》もかも処分《しょぶん》されてるはず…。でも写真《しゃしん》のデータをフロッピーに入《い》れたのは、いっしょに旅行《りょこう》に行《い》った大学《だいがく》の先生《せんせい》っていってたから…もしかしたら…」

写真《しゃしん》のデータを用意《ようい》したのが大学《だいがく》の先生《せんせい》だったのなら、灰原《はいばら》が送《おく》り返《かえ》したフロッピーはその先生《せんせい》の手《て》もとに戻《もど》っているかもしれない。

「その先生《せんせい》って誰《だれ》だか知《し》らねーのか？」

コナンの疑問《ぎもん》に、灰原《はいばら》は少《すこ》し間《ま》を置《お》いてからゆっくりと答《こた》えた。

「南洋大学教授《なんようだいがくきょうじゅ》の広田正巳《ひろたまさみ》…」

「え？　ヒロタマサミ…？」

その名前《なまえ》に、コナンはどこかで聞《き》き覚《おぼ》えがあるような気《き》がした。

「でも、どこに住《す》んでるかまでは…」

灰原《はいばら》の言葉《ことば》に、「んな事《こと》、大学《だいがく》に問《と》い合《あ》わせればすぐにわかるけど…」と答《こた》えつつ、コナンは自分《じぶん》の記憶《きおく》を探《さぐ》った。しかし、どこでヒロタマサミの名前《なまえ》を聞《き》いたのか、すぐには思《おも》い出《だ》せない。

「よし、善《ぜん》は急《いそ》げじゃ!!」

明《あか》るく言《い》い、阿笠博士《あがさはかせ》は固定電話《こていでんわ》の受話器《じゅわき》を持《も》ちあげた。


阿笠博士《あがさはかせ》は南洋大学《なんようだいがく》に問《と》い合《あ》わせて、ネットでも公開《こうかい》されている広田正巳教授《ひろたまさみきょうじゅ》の連絡先《れんらくさき》を案内《あんない》してもらった。広田《ひろた》は六十一歳《ろくじゅういっさい》で、今《いま》も現役《げんえき》で教授職《きょうじゅしょく》を続《つづ》けているそうだ。

さっそく、博士《はかせ》は教《おし》えてもらった連絡先《れんらくさき》に電話《でんわ》をかけてみることにする。

しかし、応答《おうとう》に出《で》た広田《ひろた》の声《こえ》はこわばっていた。

『なに!? 旅行《りょこう》の写真《しゃしん》を入《い》れたフロッピー? 誰《だれ》だね、君《きみ》は!?』

突然《とつぜん》、見知《みし》らぬ相手《あいて》からかかってきた電話《でんわ》に、すっかり警戒《けいかい》しているようだ。

阿笠博士《あがさはかせ》は「あ、いや、その……」とあわてながら、灰原《はいばら》に、

「君《きみ》の姉《ねえ》さんの名前《なまえ》は?」

と聞《き》いた。

「明美《あけみ》…宮野明美《みやのあけみ》よ…」

教《おし》えられた名前《なまえ》を告《つ》げると、広田教授《ひろたきょうじゅ》は『ああ、明美君《あけみくん》の知《し》り合《あ》いか！』と、すぐに警戒《けいかい》を解《と》いて、明美《あけみ》から返却《へんきゃく》されたフロッピーについて教《おし》えてくれた。

『教《おし》え子達《ごたち》と行《い》ったあの旅行《りょこう》の写真《しゃしん》のフロッピーなら、ちゃんと返《かえ》してもらったよ！　妙《みょう》なフロッピーも混《ま》ざっておった様《よう》じゃが…』

「妙《みょう》なフロッピー？」

阿笠博士《あがさはかせ》が聞《き》き返《かえ》し、横《よこ》で聞《き》いていたコナンは（まちがいない!!　それだ!!）と確信《かくしん》した。やはり灰原《はいばら》は、薬《くすり》のデータの入《はい》ったフロッピーを、まちがえて姉《あね》に送《おく》っていたのだ。

「そのフロッピー、これから取《と》りに伺《うかが》ってもよろしいでしょうか？」

『ああ構《かま》わんよ…。この後二《あとに》、三人客《さんにんきゃく》が来《く》る予定《よてい》じゃが、その後《あと》でよければ…』

「では3時間後《じかんご》そちらに…」

通話《つうわ》を終《お》え、阿笠博士《あがさはかせ》は受話器《じゅわき》を置《お》いた。

広田《ひろた》の住《す》む静岡《しずおか》までは、博士《はかせ》の自宅《じたく》からかなり距離《きょり》がある。三時間以内《さんじかんいない》に到着《とうちゃく》するためには、すぐにでも出発《しゅっぱつ》しなければならない。

コナンはすぐさま、毛利家《もうりけ》で帰宅《きたく》を待《ま》っているはずの蘭《らん》に電話《でんわ》をかけた。「阿笠博士《あがさはかせ》の家《いえ》に泊《と》まるから今日《きょう》は帰《かえ》らない」と嘘《うそ》の理由《りゆう》を告《つ》げると、電話口《でんわぐち》の蘭《らん》は『ええ〜〜〜っ』と不満《ふまん》げな声《こえ》をあげた。

『博士《はかせ》ん家《ち》に泊《と》まる〜!? 何《なに》やってんのよ？ こっちは夕飯作《ゆうはんつく》ってコナン君《くん》の帰《かえ》りずーっとまってたのよ!?』

「だってー、博士《はかせ》が面白《おもしろ》いゲーム作《つく》ったから、いっしょにやろうっていうんだもん！ 明日《あした》の朝《あさ》には帰《かえ》るから…ゴメンね、蘭《らん》ねーちゃん！」

コナンはいかにも子供《こども》らしい無邪気《むじゃき》な口調《くちょう》を作《つく》って言《い》うと、『あっ、ちょっと…』と何《なに》か言《い》いかけた蘭《らん》を無視《むし》してガチャッと受話器《じゅわき》を置《お》いた。

なんとかごまかせたことに安心《あんしん》して、ふー、とため息《いき》をつく。

そんなコナンの様子《ようす》を見《み》て、灰原《はいばら》はクス…と小《ちい》さく笑《わら》った。

「子供《こども》のフリが上手《うま》いのね…」

「ああ…。ウソ泣《な》きするオメーほどじゃねーけどな…」

コナンはさっそく、阿笠博士《あがさはかせ》と灰原《はいばら》と一緒《いっしょ》に、阿笠博士《あがさはかせ》の愛車《あいしゃ》であるフォルクスワーゲン社《しゃ》のビートルという車《くるま》で、広田《ひろた》の自宅《じたく》に向《む》けて出発《しゅっぱつ》した。

「静岡《しずおか》まで150キロか…。3時間《じかん》で着《つ》くかのー」

阿笠博士《あがさはかせ》が、ハンドルを握《にぎ》りながらボヤく。助手席《じょしゅせき》に座《すわ》ったコナンは、後部座席《こうぶざせき》にいる灰原《はいばら》に聞《き》こえないよう声《こえ》をひそめて、

「おい、博士《はかせ》…。あの女《おんな》には気《き》を許《ゆる》すなよ…」

と、声《こえ》をかけた。

「あの女《おんな》って…哀君《あいくん》の事《こと》か？」

聞《き》きながら、阿笠博士《あがさはかせ》は後部座席《こうぶざせき》の方《ほう》をちらりと振《ふ》り返《かえ》った。灰原《はいばら》はシートに後《うし》ろ向《む》きに座《すわ》り、リアガラスごしに車《くるま》の後部《こうぶ》の景色《けしき》を見《み》つめている。

「ああ…。組織《そしき》から逃《に》げて来《き》たなんていってるけど…本当《ほんとう》の名前《なまえ》も年齢《ねんれい》も教《おし》えてくれねーし…組織《そしき》が何《なに》を目的《もくてき》として動《うご》いているかを聞《き》いても、知《し》らぬ存《ぞん》ぜぬの一点張《いってんば》り…。もしかしたら、さっきあいつがいってた事《こと》は、オレ達《たち》をハメるためのウソだったって可能性《かのうせい》もある…」

コナンは灰原《はいばら》に対《たい》して慎重《しんちょう》な態度《たいど》だが、阿笠博士《あがさはかせ》は「そんな子《こ》には見《み》えんがのー」と楽《らっ》観的《かんてき》だ。

「それに気《き》になるのは『広田正巳《ひろたまさみ》』…」

コナンがひとりごとのようにつぶやき、阿笠博士《あがさはかせ》が「ん？」と不思議《ふしぎ》そうな視線《しせん》を向《む》ける。と同時《どうじ》に、後部座席《こうぶざせき》の灰原《はいばら》も、ちらりとコナンの方《ほう》を見《み》た。

（この名前《なまえ》、どっかで…）

ヒロタマサミという名前《なまえ》に、確《たし》かに聞《き》き覚《おぼ》えがあるのだが、コナンはその名《な》をいつ聞《き》いたのか、まだ明確《めいかく》には思《おも》い出《だ》せずにいた。

阿笠博士《あがさはかせ》は安全運転《あんぜんうんてん》で車《くるま》を走《はし》らせた。広田《ひろた》の自宅《じたく》に到着《とうちゃく》すると、目立《めだ》たない場所《ばしょ》に車《くるま》を停《と》める。広田《ひろた》の家《いえ》は、大《おお》きくて立派《りっぱ》な一軒家《いっけんや》だ。

呼《よ》び鈴《りん》を押《お》し、「こんばんはー」と声《こえ》をかけると、笑顔《えがお》の女性《じょせい》が対応《たいおう》に出《で》てきた。広田《ひろた》登志子《としこ》、五十三歳《ごじゅうさんさい》。広田正巳《ひろたまさみ》教授《きょうじゅ》の妻《つま》だ。

「ああ、阿笠《あがさ》さんですね…。話《はなし》は主人《しゅじん》から聞《き》いてます…」

登志子《としこ》はコナンたちを家《いえ》の中《なか》に招《まね》き入《い》れると、広田《ひろた》のいる書斎《しょさい》へと案内《あんない》するため、廊下《ろうか》を先《さき》に立《た》って歩《ある》き始《はじ》めた。

「客人《きゃくじん》は帰《かえ》られたんですか？」

阿笠博士《あがさはかせ》に聞《き》かれ、「ええ…」と愛想《あいそ》よくうなずく。

「主人《しゅじん》の教《おし》え子《ご》が、何人《なんにん》か入《い》れちがいに来《き》てたみたいですけど…」

書斎《しょさい》の前《まえ》まで来《く》ると、登志子《としこ》はコンコンと扉《とびら》をノックした。

「あなた？　あなた？」

しかし、広田《ひろた》の反応《はんのう》はない。ドアノブをガチャガチャと回《まわ》してみるが、施錠《せじょう》されているようで開《あ》かなかった。

「変《へん》ねー。中《なか》で何《なに》かやってんのかしら？　鍵《かぎ》なんか掛《か》けて…」

広田《ひろた》は書斎《しょさい》にこもっていったい何《なに》をしているのだろうか——事件《じけん》のにおいを感《かん》じたコナンは、バッとジャンプしてドアの上《うえ》にある高窓《たかまど》のサッシにとびついた。

「え？　お、おい…」

阿笠博士《あがさはかせ》が止《と》めようとするが、コナンはかまわずそのままガラスごしに部屋《へや》の中《なか》をのぞきこんで、「!?」と息《いき》を飲《の》んだ。

部屋《へや》の中央《ちゅうおう》に、白髪《しらが》の男性《だんせい》が倒《たお》れていたのだ。

おそらく彼《かれ》が広田《ひろた》だろう。広田《ひろた》は、倒《たお》れた大《おお》きな本棚《ほんだな》の下敷《したじ》きになった状態《じょうたい》で、頭《あたま》から血《ち》を流《なが》していた。床《ゆか》の上《うえ》には、散《ち》らばった本《ほん》にまじって、硬《かた》そうな置《お》き物《もの》が落《お》ちている。

コナンはタッと床《ゆか》の上《うえ》におりると、「この部屋《へや》の合《あ》い鍵《かぎ》は!?」と登志子《としこ》に勢《いきお》いよく聞《き》いた。

「え？　そんな物《もの》ないけど…」

「じゃあ、博士《はかせ》！　このドアぶち破《やぶ》るの手伝《てつだ》ってくれ!!」

「何《なに》!?」

「早《はや》く!!」

コナンの剣幕《けんまく》に押《お》され、阿笠博士《あがさはかせ》はわけがわからないまま、コナンと一緒《いっしょ》にドアに体当《たいあ》たりを始《はじ》めた。

「ちょ、ちょっと…」

登志子《としこ》があわてた声《こえ》を出《だ》すが、今《いま》は説明《せつめい》している暇《ひま》はない。

ドン！　ドン！　と何度《なんど》か体当《たいあ》たりを繰《く》り返《かえ》すと、ようやくドアがドカッと開《あ》いた。

広田《ひろた》は、先《さき》ほどとまったく同《おな》じ体勢《たいせい》のまま、ぴくりともせずに倒《たお》れている。

「きゃあああ」

登志子《としこ》の甲高《かんだか》い悲鳴《ひめい》が、家中《いえじゅう》に響《ひび》きわたった。


コナンたちが発見《はっけん》した時《とき》には、広田《ひろた》はすでにこと切《き》れていた。

阿笠博士《あがさはかせ》は、すぐさま電話《でんわ》で警察《けいさつ》に通報《つうほう》した。

鑑識《かんしき》を引《ひ》き連《つ》れて現場《げんば》へとやって来《き》たのは、静岡県警《しずおかけんけい》の横溝参悟警部《よこみぞさんごけいぶ》だ。コナンや阿笠《あがさ》博士《はかせ》は、以前《いぜん》に遭遇《そうぐう》した別《べつ》の事件《じけん》を通《とお》して、横溝警部《よこみぞけいぶ》とはすでに面識《めんしき》がある。

横溝警部《よこみぞけいぶ》の見立《みた》てによると、広田《ひろた》は事故死《じこし》した可能性《かのうせい》が高《たか》いとのことだった。

「事故《じこ》……ですか？」

阿笠博士《あがさはかせ》は、事故《じこ》と聞《き》いて、納得《なっとく》のいかない表情《ひょうじょう》で聞《き》き返《かえ》した。

「ええ…。まだはっきりとはいえませんが…」

現場《げんば》を調《しら》べていた鑑識《かんしき》の男《おとこ》が、床《ゆか》に落《お》ちていた置《お》き物《もの》を手《て》にとって、「横溝《よこみぞ》さん！」と声《こえ》をかけに来《く》る。

「死因《しいん》はどーやら、この置《お》き物《もの》によるものかと…。おそらく転倒《てんとう》した時《とき》に…」

鑑識《かんしき》の言葉《ことば》に、横溝警部《よこみぞけいぶ》が「やはりそうですか…」とうなずく。

「転倒《てんとう》したとは…？」

不思議《ふしぎ》そうにする阿笠博士《あがさはかせ》に、横溝警部《よこみぞけいぶ》は「つまり、こうですよ…」と説明《せつめい》を始《はじ》めた。

「死《し》んだ広田正巳《ひろたまさみ》さんは、本棚《ほんだな》の上《うえ》の方《ほう》に載《の》っていた何《なに》かを取《と》ろうとして棚《たな》に足《あし》を掛《か》け、バランスを崩《くず》し本棚《ほんだな》ごと倒《たお》れ込《こ》み、先《さき》に棚《たな》から落《お》ちたあの置《お》き物《もの》に後頭部《こうとうぶ》を強打《きょうだ》し、死《し》に至《いた》ったんです！　その証拠《しょうこ》に、この部屋《へや》のドアにも、ドアの上《うえ》に並《なら》んだ窓《まど》にも、しっかりと鍵《かぎ》が掛《か》かってました！　そしてたった一《ひと》つしかないこの部屋《へや》の鍵《かぎ》は、本《ほん》と共《とも》に部屋《へや》に散《さん》乱《らん》していた…ノートの下《した》に…」

横溝警部《よこみぞけいぶ》は、床《ゆか》の上《うえ》に落《お》ちていたノートを持《も》ちあげた。ノートの下《した》には、確《たし》かに部屋《へや》の鍵《かぎ》が落《お》ちている。そばには、本棚《ほんだな》が倒《たお》れた時《とき》に一緒《いっしょ》に散《ち》らばったらしいチェスの駒《こま》もあった。

「なるほど…。広田教授本人《ひろたきょうじゅほんにん》が鍵《かぎ》を掛《か》け、その後事故《あとじこ》で亡《な》くなったとしか考《かんが》えられんという事《こと》じゃな？」

「ええ…これはどーみても…」

事故死《じこし》だ、と断定《だんてい》しようとした横溝警部《よこみぞけいぶ》の言葉《ことば》を、コナンが「誰《だれ》かに殺《ころ》されたかもしれないよ…」とさえぎった。

「え？」

横溝警部《よこみぞけいぶ》が、驚《おどろ》いて顔《かお》を向《む》ける。

コナンは、床《ゆか》の上《うえ》にある電話機《でんわき》をじっと見《み》つめながら、「事故《じこ》に見《み》せかけてね…」と続《つづ》けた。電話機《でんわき》は、ひっくり返《かえ》った状態《じょうたい》で床《ゆか》の上《うえ》に置《お》かれ、その上《うえ》に一冊《いっさつ》の本《ほん》がページを開《ひら》いた状態《じょうたい》で覆《おお》いかぶさっている。

「君《きみ》は確《たし》か、毛利《もうり》さんの所《ところ》の…」

殺人現場《さつじんげんば》で自由《じゆう》にふるまうコナンの姿《すがた》を見《み》て、横溝警部《よこみぞけいぶ》が困惑《こんわく》した表情《ひょうじょう》を浮《う》かべる。なぜ毛利探偵事務所《もうりたんていじむしょ》に居候中《いそうろうちゅう》の少年《しょうねん》がこんなところにいるのかと聞《き》きたげだ。

阿笠博士《あがさはかせ》は苦笑《にがわら》いで、「ワシの親戚《しんせき》の子《こ》でして…」とごまかした。

「ホラ、見《み》てよこの電話《でんわ》！　床《ゆか》に落《お》ちてるでしょ？」

そう言《い》って、コナンは床《ゆか》の上《うえ》の電話機《でんわき》を指《ゆび》さした。

「それならきっと、その電話台《でんわだい》が本棚《ほんだな》といっしょに倒《たお》れたからじゃあ…」

阿笠博士《あがさはかせ》が、本棚《ほんだな》と一緒《いっしょ》に倒《たお》れている電話台《でんわだい》を指《ゆび》さしながら言《い》う。

「だったらなんで受話器《じゅわき》が外《はず》れてねーんだ？　電話《でんわ》をひっくり返《かえ》し、上《うえ》に本《ほん》を被《かぶ》せて偽装《カモフラージュ》してあるが、これは誰《だれ》かが作為的《さくいてき》に部屋《へや》を散《ち》らかした跡《あと》…」

コナンの言《い》うとおり、電話機《でんわき》そのものがひっくり返《かえ》っているにもかかわらず受話器《じゅわき》がはずれていないし、コードにもつながったままだ。電話台《でんわだい》が倒《たお》れて落《お》ちたとしたら、こんな形《かたち》にはならないだろう。

「じゃ、じゃあまさか殺人《さつじん》…」

阿笠博士《あがさはかせ》がおののき、横溝警部《よこみぞけいぶ》も「ま、まってください…」と声《こえ》を震《ふる》わせて、あらためて現場《げんば》を見《み》まわした。

「そうだとするとこれは…密室殺人《みっしつさつじん》って事《こと》になりますよ!!」

阿笠博士《あがさはかせ》と登志子《としこ》は、「み、密室殺人《みっしつさつじん》!?」と、声《こえ》をそろえて驚《おどろ》いた。

確《たし》かに横溝警部《よこみぞけいぶ》の言《い》うとおり、書斎《しょさい》の窓《まど》やドアには、鍵《かぎ》がかかっていたことが確認《かくにん》されている。現《げん》に、コナンたちは、ドアを強引《ごういん》にぶち破《やぶ》らなければ中《なか》に入《はい》ることができなかったのだ。

登志子《としこ》は目《め》に涙《なみだ》を浮《う》かべ、「じゃあ誰《だれ》が？　誰《だれ》が、主人《しゅじん》を!?」と横溝警部《よこみぞけいぶ》に詰《つ》め寄《よ》った。

「奥《おく》さん、落《お》ち着《つ》いて…。今夜《こんや》、御主人《ごしゅじん》に会《あ》いに来《き》た不審《ふしん》な人物《じんぶつ》とか、いなかったんですか？」

「お客《きゃく》はその人《ひと》を含《ふく》めて三《さん》、四人《よにん》来《き》ていたみたいですけど…」

そう言《い》って、登志子《としこ》は阿笠博士《あがさはかせ》の方《ほう》を指《ゆび》さした。

途端《とたん》に、横溝警部《よこみぞけいぶ》の阿笠博士《あがさはかせ》を見《み》る視線《しせん》に、疑《うたが》いの色《いろ》がまじる。

「ああ、ワシか？　ワシの知《し》り合《あ》いがまちがえて広田教授《ひろたきょうじゅ》に自分《じぶん》のフロッピーを渡《わた》してしまったというんで、それを返《かえ》してもらいに来《き》ただけじゃ！　じゃからきっと、あのコンピューターの横《よこ》に…」

あわてて説明《せつめい》しながら、阿笠博士《あがさはかせ》は書斎《しょさい》にあった広田《ひろた》のパソコンの方《ほう》へ視線《しせん》を投《な》げた。

するといつの間《ま》にか灰原《はいばら》が、デスクの椅子《いす》の上《うえ》に立《た》って、キーボードをカシャカシャと勝手《かって》に操作《そうさ》している。

「なくなってるわよ。フロッピーディスク…すべてごっそり…」

灰原《はいばら》の言葉《ことば》に、阿笠博士《あがさはかせ》は「え？」と目《め》を丸《まる》くした。

「この分《ぶん》じゃ、コンピューター内《ない》のデータも消《け》されているかも…」

「な、なんですか、あの少女《しょうじょ》!?」

勝手《かって》にパソコンをいじる灰原《はいばら》の姿《すがた》に、横溝警部《よこみぞけいぶ》はぎょっとしてしまった。

阿笠博士《あがさはかせ》は「あ、あの子《こ》も親戚《しんせき》の子《こ》でして…」と目《め》を泳《およ》がせながら、大《おお》あわてで灰原《はいばら》をかかえあげ、椅子《いす》からおろした。

「とにかくワシは、事件《じけん》とは無関係《むかんけい》！　子供連《こどもづ》れで人殺《ひとごろ》しに来《く》るバカはおらんじゃろ？」

「確《たし》かに…」

納得《なっとく》してうなずく横溝警部《よこみぞけいぶ》をしりめに、コナンは灰原《はいばら》の方《ほう》へ寄《よ》っていって、「おい…まさか奴《やつ》らがフロッピーを…」と耳打《みみう》ちした。

「考《かんが》えられるわね…。あの薬《くすり》のデータを入《い》れたフロッピーが紛失《ふんしつ》した記録《きろく》も、それと同《おな》じ時期《じき》に私《わたし》が姉《あね》に郵便物《ゆうびんぶつ》を送《おく》り返《かえ》した記録《きろく》も、組織《そしき》に残《のこ》ってるから…」

灰原《はいばら》の言葉《ことば》に、コナンは「なるほど…」とうなずいた。

「組織《そしき》を抜《ぬ》けたおまえがデータを受《う》け取《と》りにここへ立《た》ち寄《よ》るのを、奴《やつ》らは予測《よそく》できたかもしれねぇってわけか…」

「組織《そしき》はとりあえずデータを回収《かいしゅう》しようとここに忍《しの》び込《こ》んだが、広田教授《ひろたきょうじゅ》に見《み》つかって撲殺《ぼくさつ》した…悪《わる》くないわね…」

推理《すいり》を急《いそ》ぐ灰原《はいばら》を、コナンは「いや…まだ断定《だんてい》するのは早《はや》い！」といさめた。

「まずは、今夜《こんや》ここへ来《き》た人《ひと》の話《はなし》を聞《き》いてから…すべてはそれからだ!!」


横溝警部《よこみぞけいぶ》はまず、広田《ひろた》の妻《つま》である登志子《としこ》の事情聴取《じじょうちょうしゅ》から始《はじ》めることにした。

登志子《としこ》が言《い》うには、彼女《かのじょ》は今夜《こんや》、用事《ようじ》で外出《がいしゅつ》していたという。

「え？　町内会《ちょうないかい》の会合《かいごう》に行《い》かれていたんですか？」

「ええ…近所《きんじょ》の奥様《おくさま》と8時《じ》から11時《じ》まで3時間《じかん》…」

「じゃあ奥《おく》さんは今夜《こんや》、御主人《ごしゅじん》に会《あ》いに来《き》た客《きゃく》を見《み》てないんですね？」

横溝警部《よこみぞけいぶ》に確認《かくにん》され、登志子《としこ》は「いえ…」と首《くび》を振《ふ》った。

「最初《さいしょ》に来《こ》られた方《かた》とは、お会《あ》いしました…。丁度《ちょうど》、私達《わたしたち》が出《で》かける時《とき》で、主人《しゅじん》は教《おし》え子《ご》だといってました…。名前《なまえ》は確《たし》か『細矢《ほそや》』さんって…」

「よーし！　広田教授《ひろたきょうじゅ》の生徒《せいと》で、今夜《こんや》ここへ来《き》た『細矢《ほそや》』という人物《じんぶつ》を連《つ》れて来《き》てくれ！」

横溝警部《よこみぞけいぶ》から指示《しじ》を受《う》け、そばにいた警察官《けいさつかん》が「はっ！」と敬礼《けいれい》して走《はし》っていく。

横溝警部《よこみぞけいぶ》はさらに質問《しつもん》を重《かさ》ねた。

「そのほかに来《き》た客《きゃく》の名前《なまえ》はわかりませんか？」

「さぁ…。出《で》かける前《まえ》にお電話《でんわ》をいただいた阿笠《あがさ》さんのほかはちょっと…。主人《しゅじん》は二《に》、三《さん》人教《にんおし》え子《ご》が来《く》るといってただけでしたので…」

横溝警部《よこみぞけいぶ》は「うーむ」と口《くち》もとに手《て》をあてて考《かんが》えこんだ。登志子《としこ》が把握《はあく》していない以上《いじょう》、来客《らいきゃく》を特定《とくてい》するのにはなかなか時間《じかん》がかかりそうだ。

「そうなると広田教授《ひろたきょうじゅ》の教《おし》え子《ご》を一人残《ひとりのこ》らず調《しら》べるしか…」

その時《とき》、コナンが床《ゆか》の上《うえ》の電話機《でんわき》を見《み》て、「あれぇー」とさりげなく声《こえ》をあげた。

「なんか光《ひか》ってるよ、この電話《でんわ》…」

「え？」

見《み》ると確《たし》かに、床《ゆか》の上《うえ》でひっくり返《かえ》った電話機《でんわき》のボタンが点滅《てんめつ》している。コナンは、あくまで子供《こども》の思《おも》いつきを装《よそお》って、無邪気《むじゃき》な口調《くちょう》で続《つづ》けた。

「これ、留守番電話《るすばんでんわ》っていうんでしょ？　これを聞《き》けば何《なに》かわかるかもしれないね！」


横溝警部《よこみぞけいぶ》がさっそく留守番電話《るすばんでんわ》を再生《さいせい》してみると、『13件《けん》です……』と、録音《ろくおん》されているメッセージ数《すう》のアナウンスが流《なが》れた。

「じゅ、13件《けん》…？」

と、横溝警部《よこみぞけいぶ》が驚《おどろ》いてつぶやく。

十三件《じゅうさんけん》もメッセージが録音《ろくおん》されているのは、かなり多《おお》いように思《おも》われた。

最初《さいしょ》のメッセージが再生《さいせい》される。

『ピー。もし…し白倉《しらくら》です…。広田先生《ひろたせんせい》？　約束今晩《やくそくこんばん》でし…よね？』

(妙《みょう》だなこのテープ…。ところどころ音《おと》がとんでる…)

録音《ろくおん》を聞《き》くなり、コナンは顔《かお》をしかめた。確《たし》かに音《おと》が飛《と》んでいて聞《き》きづらいが、どうやら最初《さいしょ》のメッセージは白倉《しらくら》という男性《だんせい》からのようだ。

「この白倉《しらくら》とは？」

横溝警部《よこみぞけいぶ》に聞《き》かれ、登志子《としこ》が「白倉《しらくら》さんは会《あ》った事《こと》があります、まだ若《わか》い方《かた》で…」と答《こた》える。

ピーッと電子音《でんしおん》がして、次《つぎ》のメッセージが再生《さいせい》された。

『盛岡《もりおか》ですが…。今夜《こんや》、何時《なんじ》…そこに行《い》きゃーい…んですかい？』

今度《こんど》も男性《だんせい》の声《こえ》だ。横溝警部《よこみぞけいぶ》は、登志子《としこ》の方《ほう》を振《ふ》り返《かえ》った。

「この方《かた》は…？」

「盛岡《もりおか》さんも知《し》ってます！　主人《しゅじん》の最初《さいしょ》の生徒《せいと》だそうで…よく家《いえ》に遊《あそ》びに来《こ》られますけど…」

「白倉《しらくら》と盛岡《もりおか》、この二人《ふたり》の住所《じゅうしょ》と電話番号《でんわばんごう》わかります？」

「ええ…」

その時《とき》、書斎《しょさい》の入《い》り口《ぐち》に現《あらわ》れた長身《ちょうしん》の男《おとこ》が「あのー、白倉《しらくら》は僕《ぼく》ですけど…」と声《こえ》をかけた。

「どーしたんです？　この騒《さわ》ぎ…。何《なに》かあったんですか？」

彼《かれ》は、白倉陽《しらくらあきら》。二十五歳《にじゅうごさい》で、留守番電話《るすばんでんわ》に最初《さいしょ》のメッセージを残《のこ》した人物《じんぶつ》だ。

「殺《ころ》されたんですよ！　広田教授《ひろたきょうじゅ》が…何者《なにもの》かにね…」

横溝警部《よこみぞけいぶ》が言《い》い、白倉《しらくら》は「ええっ!?」と驚《おどろ》いて声《こえ》をあげた。


白倉《しらくら》や登志子《としこ》立《た》ち会《あ》いのもと、横溝警部《よこみぞけいぶ》は留守番電話《るすばんでんわ》に残《のこ》されていたメッセージの確認《かくにん》を続《つづ》けた。メッセージはほとんどが白倉《しらくら》からのものだ。

『もしもし、白倉《しらくら》です…。僕《ぼく》、明日《あした》から都合《つごう》が悪《わる》いんで、とりあえずこれからそっちへ行《い》ってみます…。あ、それと…』

十二件目《じゅうにけんめ》までメッセージを確認《かくにん》して、横溝《よこみぞ》は「ウーム…」とため息《いき》をついた。

「白倉《しらくら》さんが10件《けん》に、盛岡《もりおか》さんが2件《けん》か…。あなたのはずいぶん多《おお》いじゃありませんか？」

「だからいったでしょ？　何度電話《なんどでんわ》してもいらっしゃらないんで、しょーがないから直接《ちょくせつ》来《き》たって！」

怪《あや》しむような視線《しせん》を向《む》けられ、白倉《しらくら》はあわてて弁明《べんめい》すると、

「でも…いったい、なんでこんな事《こと》に…」

とボヤいて、床《ゆか》の上《うえ》に倒《たお》れたままの広田《ひろた》の遺体《いたい》をちらりと見《み》つめた。

ピーッ。

留守番電話《るすばんでんわ》の電子音《でんしおん》が鳴《な》り、最後《さいご》のメッセージが再生《さいせい》される。

「これで13件目《けんめ》…最後《さいご》の伝言《メッセージ》か…」

『えー…。黒《くろ》…生命《せいめい》です…。当社《とうしゃ》の新《あたら》…い保険《ほけん》の説明《せつめい》にお伺《うかが》いしたいん…すが…お時間《じかん》はいた…けないでしょ…か？　また改《あらた》…てお電話《でんわ》……』

再生《さいせい》されたメッセージを聞《き》いて、コナンは（え？）と驚《きょう》がくした。

「保険屋《ほけんや》か…」

と、横溝警部《よこみぞけいぶ》は疑《うたが》っていない様子《ようす》だが、コナンにはこのメッセージの声《こえ》や口調《くちょう》に覚《おぼ》えがあった。

（ちがう…。機械《きかい》で多少声質《たしょうこえしつ》を変《か》えてるけど…この口調《くちょう》…この声《こえ》は…）

「ウォッカ…」

灰原《はいばら》が低《ひく》い声《こえ》でつぶやく。

そう、保険屋《ほけんや》を装《よそお》った最後《さいご》のメッセージは、まちがいなくウォッカのものだった。

やはり組織《そしき》の連中《れんちゅう》は、灰原《はいばら》がまちがって送《おく》り返《かえ》したフロッピーの存在《そんざい》を把握《はあく》して、広田《ひろた》の存在《そんざい》にたどりついていたのだ。

「お、おい、じゃあやっぱりこの事件《じけん》…」

阿笠博士《あがさはかせ》は一気《いっき》に緊迫《きんぱく》して、小声《こごえ》でコナンに耳打《みみう》ちする。広田《ひろた》は黒《くろ》ずくめの組織《そしき》に消《け》されたのではないかと疑《うたが》っているようだが、コナンは「いや…」と否定《ひてい》した。

「奴《やつ》らの仕業《しわざ》の可能性《かのうせい》は低《ひく》くなった…。もし奴《やつ》らがフロッピーを取《と》りに来《き》たのなら、自分《じぶん》の声《こえ》の入《はい》ったこのテープを現場《げんば》に残《のこ》すヘマはしねーよ…」

「そうね…彼《かれ》らならこんな密室殺人《みっしつさつじん》を作《つく》り上《あ》げるより先《さき》に、テープを回収《かいしゅう》してるはずだもの…」

コナンに同意《どうい》して言《い》うと、灰原《はいばら》はクス…と小《ちい》さく笑《わら》った。

「留守番電話《るすばんでんわ》の伝言《メッセージ》は、もしも広田教授《ひろたきょうじゅ》が在宅《ざいたく》してた場合《ばあい》、彼《かれ》の警戒《けいかい》を和《やわ》らげ、目的《もくてき》を遂《すい》行《こう》しやすくする手段《しゅだん》の一《ひと》つ…。今頃《いまごろ》、彼《かれ》ら焦《あせ》ってるでしょうね…。回収《かいしゅう》できなくなったから…」

「じゃ、じゃが…そうだとしたら奴《やつ》らは…」

あわてふためく阿笠博士《あがさはかせ》に、コナンは緊迫《きんぱく》した表情《ひょうじょう》を向《む》けた。

「ああ…博士《はかせ》のワーゲン、よそに移動《いどう》させて正解《せいかい》だったぜ…。奴《やつ》らはもうすでにこの近《ちか》くに…来《き》てるかもしれねーからな…」

警察《けいさつ》から連絡《れんらく》を受《う》け、盛岡道夫《もりおかみちお》と細矢和宏《ほそやかずひろ》も、そろって広田《ひろた》の家《いえ》へと姿《すがた》を現《あらわ》した。

盛岡《もりおか》は、四十八歳《よんじゅうはっさい》の獣医《じゅうい》で、でっぷりと太《ふと》った中年男性《ちゅうねんだんせい》。細矢《ほそや》は、証券会社《しょうけんがいしゃ》で働《はたら》く、メガネをかけた四十三歳《よんじゅうさんさい》の男性《だんせい》だ。

広田《ひろた》が死《し》んだことを告《つ》げられ、二人《ふたり》とも「ええっ!?　広田先生《ひろたせんせい》が殺《ころ》された!?」と度肝《どぎも》を抜《ぬ》かれたようだ。

盛岡《もりおか》は「ハハ…そんなバカな…」と言葉《ことば》を失《うしな》い、細矢《ほそや》も「さっきまで元気《げんき》でおいでだったのに…」と残念《ざんねん》そうな表情《ひょうじょう》をしている。

「確《たし》か、奥《おく》さんと入《い》れちがいにここへ来《き》たのは細矢《ほそや》さん、あなたでしたね？」

横溝警部《よこみぞけいぶ》に事情《じじょう》を聞《き》かれ、細矢《ほそや》は「あ、はい…」とうなずいた。

「今度《こんど》、娘《むすめ》が南洋大学《なんようだいがく》を受《う》ける事《こと》になりまして、その推薦状《すいせんじょう》を先生《せんせい》に書《か》いてもらおうと伺《うかが》ったんですが…。先生《せんせい》はだいぶ、お酒《さけ》を召《め》されてた様《よう》で、今日《きょう》のところは帰《かえ》ったんです…」

「お酒《さけ》を飲《の》んでいたというのは本当《ほんとう》ですか？」

横溝警部《よこみぞけいぶ》の確認《かくにん》に、登志子《としこ》が「ええ…夕方《ゆうがた》から…」とうなずく。

細矢《ほそや》の証言《しょうげん》に大《おお》きな矛盾《むじゅん》はないようだ。

「では、盛岡《もりおか》さん！　留守番電話《るすばんでんわ》の伝言《メッセージ》では、あなたも広田教授《ひろたきょうじゅ》と会《あ》う約束《やくそく》をされてた様《よう》ですが…」

「チェスだよ！」

盛岡《もりおか》がぶっきらぼうに答《こた》える。

「オレと広田先生《ひろたせんせい》はチェス仲間《なかま》！　今夜《こんや》も『やろう』って先生《せんせい》に誘《さそ》われたんだよ!!　ホラ、床《ゆか》に散《ち》らばってるだろ？　チェスの駒《こま》が！　いつもこの部屋《へや》でやってたんだ！　始《はじ》める時《じ》間《かん》を決《き》めてなかったから、二度《にど》ほど電話《でんわ》したんだが留守番電話《るすばんでんわ》になっててよー…誘《さそ》っといてどーいうつもりなんだと様子《ようす》を見《み》に来《き》たんだよ！」

「き、来《き》たんですか？　今夜《こんや》ここに？」

横溝警部《よこみぞけいぶ》が驚《おどろ》いて聞《き》く。広田《ひろた》の自宅《じたく》を訪《おとず》れていたにもかかわらず、盛岡《もりおか》は広田《ひろた》が死亡《しぼう》していることに気《き》づかなかったのだろうか？

「ああ！　オレが来《き》たのは９時半頃《じはんごろ》…。玄関《げんかん》の鍵《かぎ》は開《あ》いてんのに呼《よ》び鈴《りん》鳴《な》らしても誰《だれ》も出《で》ねーから、約束忘《やくそくわす》れて寝《ね》てんじゃねーかと家《いえ》ん中《なか》に入《はい》ったんだ。でも、この書斎《しょさい》には鍵《かぎ》が掛《か》かっててノックしても返事《へんじ》がねーから、仕方《しかた》なく帰《かえ》ったってわけよ！」

「…なるほど…。その１時間半後《じかんはんご》に阿笠《あがさ》さんが来《き》て、部屋《へや》の異変《いへん》に気《き》づきドアを破《やぶ》って、死体《したい》を発見《はっけん》したというわけですね？」

阿笠博士《あがさはかせ》が「ああそうじゃ…」とうなずくと、横溝警部《よこみぞけいぶ》は続《つづ》いて白倉《しらくら》に向《む》かって聞《き》いた。

「ところで、我々《われわれ》が到着《とうちゃく》したすぐ後《あと》に来《こ》られた白倉《しらくら》さん？　あなたが今夜《こんや》ここへ来《き》た用件《ようけん》、まだ聞《き》いてませんでしたね？」

「はい…実《じっ》はボク、モデルをやってて…。今度《こんど》、雑誌《ざっし》の企画《きかく》で『モデルの意外《いがい》な素顔《すがお》』っていうのをやる事《こと》になったんです…。それで、大学祭《だいがくさい》の時《とき》にボクが女装《じょそう》して広田先生《ひろたせんせい》と写《しゃ》真《しん》を撮《と》ったのを思《おも》い出《だ》して…その写真《しゃしん》のデータが入《はい》ったフロッピーを、先生《せんせい》に貸《か》してもらおうと伺《うかが》ったんです…」

「写真《しゃしん》のデータをフロッピーに？」

と、横溝警部《よこみぞけいぶ》は意外《いがい》そうに繰《く》り返《かえ》した。写真《しゃしん》のデータを、パソコンや携帯電話《けいたいでんわ》の内臓《ないぞう》メモリではなく、わざわざフロッピーに保存《ほぞん》するという行為《こうい》に、ピンとこないようだ。

「ええ…主人《しゅじん》は気《き》に入《い》った写真《しゃしん》をすべてコンピューターに取《と》り込《こ》んでましたので…。写真《しゃしん》だけじゃありません…。大学《だいがく》の入試問題《にゅうしもんだい》、生徒《せいと》の成績表《せいせきひょう》…盛岡《もりおか》さんとのチェスの経過《けいか》と勝《しょう》敗表《はいひょう》まで入《い》れてましたわ…」

横溝警部《よこみぞけいぶ》は「…なるほど…」と納得《なっとく》して、考《かんが》えこんだ。

広田《ひろた》はあらゆるデータをコンピューターに取《と》り込《こ》み、フロッピーに保存《ほぞん》していたはずなのに、事件後《じけんご》、書斎《しょさい》からフロッピーは一枚《いちまい》も見《み》つかっていない。

「そのフロッピーを犯人《はんにん》が広田教授殺害後《ひろたきょうじゅさつがいご》にごっそり持《も》ち去《さ》ったという事《こと》か…」

「でも…先生本人《せんせいほんにん》が全部《ぜんぶ》、学校《がっこう》に持《も》ってってしまわれたかもしれませんよ…」

広田《ひろた》を殺害《さつがい》した犯人《はんにん》がフロッピーも持《も》ち去《さ》ったのだと断定《だんてい》する横溝警部《よこみぞけいぶ》に、細矢《ほそや》がおずおずと指摘《してき》した。

「ありうるな…。あの人《ひと》、ラベルに何《なに》も書《か》かないから全部《ぜんぶ》まとめて…」

盛岡《もりおか》が同意《どうい》する。

続《つづ》いて白倉《しらくら》が「それに、この部屋《へや》、密室《みっしつ》だったんでしょ?」と横溝警部《よこみぞけいぶ》に反論《はんろん》した。

「しかも、この部屋《へや》の鍵《かぎ》は部屋《へや》に落《お》ちてたノートの下《した》にあったっていうじゃありませんか?」

と、細矢《ほそや》がさらに続《つづ》けるが、横溝警部《よこみぞけいぶ》はまだ何事《なにごと》か考《かんが》えこんでいる顔《かお》だ。

盛岡《もりおか》は、「刑事《けいじ》さん…こりゃーどう見《み》たって…」とうんざりした表情《ひょうじょう》で横溝警部《よこみぞけいぶ》にたたみかけた。

(確《たし》かにそうだ…)

容疑者《ようぎしゃ》たちの言《い》い分《ぶん》には、確《たし》かに一理《いちり》ある。横《よこ》で聞《き》いていたコナンは、現場《げんば》を見《み》まわして、あらためて状況《じょうきょう》を整理《せいり》した。

(この部屋《へや》の侵入口《しんにゅうぐち》はすべて閉《と》ざされていて…スキがあるとしたら、入口《いりぐち》のドアの下《した》の鍵《かぎ》がやっと通《とお》るぐらいのスキ間《ま》のみ…。輪《わ》ゴムかテグスを使《つか》えば…広田教授《ひろたきょうじゅ》を殺害《さつがい》した後《あと》、鍵《かぎ》を奪《うば》い、部屋《へや》の外《そと》で鍵《かぎ》を掛《か》け、ドアの下《した》のスキ間《ま》から鍵《かぎ》を部屋《へや》の中央《ちゅうおう》に運《はこ》ぶ事《こと》はできるかもしれねーが…都合《つごう》よくノートの下《した》に滑《すべ》り込《こ》ませる事《こと》は…まず不可能《ふかのう》だ…)

コナンは、床《ゆか》の上《うえ》に視線《しせん》を落《お》とした。

本《ほん》やチェスの駒《こま》があちこちに散乱《さんらん》している。一見《いっけん》、乱雑《らんざつ》に散《ち》らばっているかのように見《み》えるが、よく観察《かんさつ》すると不自然《ふしぜん》な点《てん》があった。

(気《き》になるのは、部屋中《へやじゅう》に本《ほん》が散乱《さんらん》してるのに…なぜかドアから電話《でんわ》までの一直線上《いっちょくせんじょう》には問題《もんだい》のノートしか落《お》ちてなかった事《こと》と…少々《しょうしょう》ワカメになってる留守番電話《るすばんでんわ》のカセットテープ…)

鑑識《かんしき》が確認《かくにん》したところ、留守番電話《るすばんでんわ》のテープはあちこちよじれて、縮《ちぢ》れた麺《めん》のようになっていた。録音《ろくおん》されたメッセージが音《おと》とびしていたのは、そのせいだったのだ。

(でも…こんな物使《ものつか》ったってノートの下《した》には…)

犯人《はんにん》はいったい、どうやって鍵《かぎ》をノートの下《した》に入《い》れたのだろう——考《かんが》えこむコナンを、灰原《はいばら》は、少《すこ》し離《はな》れたところから、じっと黙《だま》って見《み》つめていた。

灰原《はいばら》の頭《あたま》をよぎるのは、以前《いぜん》、姉《あね》と交《か》わした会話《かいわ》のこと。

喫茶店《きっさてん》で待《ま》ち合《あ》わせ、久《ひさ》しぶりの会話《かいわ》を楽《たの》しんでいた時《とき》、姉《あね》が突然《とつぜん》、江戸川《えどがわ》コナンという名前《なまえ》の少年《しょうねん》のことを話《はな》し始《はじ》めたのだ。

――江戸川《えどがわ》コナン？

珍《めずら》しい名前《なまえ》だったので、灰原《はいばら》が聞《き》き返《かえ》すと、姉《あね》はうれしそうに『ホラ、この前話《まえはな》したメガネの男《おとこ》の子《こ》よ…』と話《はな》し始《はじ》めた。

――ホラぁ…あなたも何《なに》か用《よう》があって、米花町《べいかちょう》の誰《だれ》かの家《いえ》に行《い》ったっていってたでしょ？

――ああ、工藤新一《くどうしんいち》…。

――そうそう、あの近所《きんじょ》の探偵事務所《たんていじむしょ》の子《こ》よ！　なんか変《か》わってるのよね…。子供《こども》のくせに落《お》ち着《つ》いてるっていうか、大人《おとな》っぽいっていうか…。

灰原《はいばら》の姉《あね》は、毛利探偵事務所《もうりたんていじむしょ》を訪《おとず》れたことがあり、コナンとも面識《めんしき》があったのだった。

しかし灰原《はいばら》にとって気《き》がかりなのは、会《あ》ったことのない少年《しょうねん》よりも、今目《いまめ》の前《まえ》にいる姉《あね》の方《ほう》だ。灰原《はいばら》はテーブルの上《うえ》に身《み》をのりだして、『それよりお姉《ねえ》ちゃん、大丈夫《だいじょうぶ》？』と話《わ》題《だい》を変《か》えた。

——なんか、ヤバイ事《こと》になってるって聞《き》いたけど…。

——心配《しんぱい》しないで…うまくいってるから…。心配《しんぱい》なのは志保《しほ》…あなたの方《ほう》よ！　いいかげん薬《くすり》なんか作《つく》ってないで恋人《こいびと》の一人《ひとり》でも作《つく》りなさいよ！　お姉《ねえ》ちゃんは大丈夫《だいじょうぶ》だから…。

姉《あね》はそう言《い》って、灰原《はいばら》に向《む》かってウインクをしてみせた。

それが、姉《あね》と交《か》わした最後《さいご》の会話《かいわ》になってしまった。

しばらく後《あと》、【10億円強奪犯自殺《おくえんごうだつはんじさつ》】という見出《みだ》しの記事《きじ》が新聞《しんぶん》に掲載《けいさい》され、灰原《はいばら》の姉《あね》が亡《な》くなったことが報道《ほうどう》された。

灰原《はいばら》の姉《あね》は、十億円強奪事件《じゅうおくえんごうだつじけん》の実行犯《じっこうはん》で、ジンに射殺《しゃさつ》された、広田雅美《ひろたまさみ》だったのだ。

新聞《しんぶん》に掲載《けいさい》された写真《しゃしん》には、毛布《もうふ》でくるまれた姉《あね》の遺体《いたい》を見《み》つめる、メガネの少年《しょうねん》がうつっていた。おそらく彼《かれ》が江戸川《えどがわ》コナンだろうと、灰原《はいばら》には察《さっ》しがついた。

（大丈夫《だいじょうぶ》だから…。大丈夫《だいじょうぶ》だから…）

最後《さいご》に聞《き》いた姉《あね》の声《こえ》は、今《いま》でもずっと、灰原《はいばら》の耳《みみ》の中《なか》に残《のこ》り続《つづ》けている。亡《な》くなる直前《ちょくぜん》に姉《あね》がかけてくれた『大丈夫《だいじょうぶ》だから』という言葉《ことば》を、灰原《はいばら》はずっと忘《わす》れられずにいた。

コナンは、現場《げんば》に残《のこ》されていた電話機《でんわき》を前《まえ》に、まだ何事《なにごと》か考《かんが》えこんでいる。

灰原《はいばら》は、そっとコナンに歩《あゆ》み寄《よ》ると、「無理《むり》よ…」と声《こえ》をかけた。

「へ？」

「部屋《へや》の外《そと》で鍵《かぎ》を掛《か》け…部屋《へや》の中央《ちゅうおう》の、しかもノートの下《した》に鍵《かぎ》を運《はこ》ぶなんて、物理的《ぶつりてき》に不《ふ》可能《かのう》よ…。たとえ、その留守番電話《るすばんでんわ》のテープを使《つか》ったとしてもね…。いろいろ不可解《ふかかい》な点《てん》は多《おお》いけど…死《し》んだ広田教授《ひろたきょうじゅ》が泥酔《でいすい》していたのなら…本棚《ほんだな》といっしょに倒《たお》れて後頭部《こうとうぶ》を強《きょう》打《だ》した事故《じこ》っていうのも考《かんが》えられなくはない…。それに、これ以上《いじょう》ここにいるのは危険《きけん》だし、無意味《むいみ》…」

灰原《はいばら》は床《ゆか》の上《うえ》に散《ち》らばっていたチェスの駒《こま》の中《なか》から、馬《うま》の形《かたち》をしたナイトの駒《こま》を手《て》にとった。

「あきらめなさい、工藤君《くどうくん》…。この事件《じけん》はもう…*チェックメイトよ…」

そう言《い》って、ナイトをカッと電話機《でんわき》の上《うえ》にのせる。

コナンは、去《さ》っていく灰原《はいばら》を見送《みおく》りながら、ナイトを手《て》にとった。

(チェックメイト…)

心《こころ》の中《なか》でつぶやきながら、馬《うま》の細工《さいく》をじっと見《み》つめる。何《なに》か心《こころ》にひっかかるものがある。

——と思《おも》った次《つぎ》の瞬間《しゅんかん》、ハッと、コナンの脳裏《のうり》にひらめきが走《はし》った。

灰原《はいばら》は阿笠博士《あがさはかせ》の袖《そで》を引《ひ》いて、「さあ早《はや》く裏口《うらぐち》から…」と、この殺人現場《さつじんげんば》から出《で》て行《い》くよう促《うなが》している。コナンは低《ひく》い声《こえ》で、「まてよ…」と声《こえ》をかけた。

「え?」

「おまえは知《し》りたくねーのか? この事件《じけん》の真相《しんそう》を…」

「だからいってるでしょ? これはどう見《み》ても…」

「事故《じこ》じゃねー、殺人《さつじん》だ…。広田教授《ひろたきょうじゅ》を殺《ころ》した後《あと》、トリックを使《つか》ってこの部屋《へや》を密室《みっしつ》にし、事故死《じこし》に見《み》せかけたんだ…」

コナンは断言《だんげん》すると、自信《じしん》に満《み》ちた表情《ひょうじょう》を灰原《はいばら》に向《む》けた。

*チェックメイト:チェスで、王手《おうて》をかけたこと。また、行《い》き詰《づ》まったこと。

「今《いま》からおまえに見《み》せてやるよ…真実《しんじつ》って奴《やつ》を…。この世《よ》に解《と》けない謎《なぞ》なんて…塵一《ちりひと》つもねえって事《こと》をな!!!」


容疑者《ようぎしゃ》の白倉《しらくら》、盛岡《もりおか》、そして細矢《ほそや》は、夜遅《よるおそ》くに殺人現場《さつじんげんば》に呼《よ》びだされてすっかり疲《つか》れきっていた。三人《さんにん》とも、早《はや》く解放《かいほう》されたくて仕方《しかた》がないといった表情《ひょうじょう》だ。

とうとうストレスが頂点《ちょうてん》に達《たっ》した盛岡《もりおか》は、「事故《じこ》だ、事故《じこ》!!」と横溝警部《よこみぞけいぶ》に向《む》かってわめいた。

「広田先生《ひろたせんせい》は酔《よ》っぱらって本棚《ほんだな》といっしょに倒《たお》れて、後頭部《こうとうぶ》を打《う》って死《し》んだんだ!!」

「確《たし》かに…現場《げんば》の状況《じょうきょう》を見《み》ると、そうとれなくもありませんが…二《に》、三《さん》、気《き》になる点《てん》が…」

「気《き》になるもくそもあるかよ!! 部屋《へや》は密室《みっしつ》! その上《うえ》、鍵《かぎ》は部屋《へや》に散《ち》らばってたノートの下《した》にあったんだろ? もし犯人《はんにん》がいたんなら、どーやって鍵《かぎ》を掛《か》けたっていうんだ?」

盛岡《もりおか》に詰《つ》め寄《よ》られ、横溝警部《よこみぞけいぶ》は「だからそれを今《いま》、考《かんが》えて…」とたじたじになってしまう。

「すみませんが、私《わたし》は明日朝《あしたあさ》から用《よう》がありますので、これで…」

はっきりしない警察《けいさつ》の態度《たいど》に見切《みき》りをつけ、細矢《ほそや》はくるりと背中《せなか》を向《む》けた。

白倉《しらくら》も「じゃあ僕《ぼく》も…」と同調《どうちょう》して、盛岡《もりおか》と一緒《いっしょ》に出《で》て行《い》こうとする。

「あ、ちょっと…」

横溝警部《よこみぞけいぶ》があわててひきとめようとした時《とき》、

『ちょっとまつのじゃ!!!』

と、阿笠博士《あがさはかせ》の声《こえ》が、部屋《へや》の中《なか》に響《ひび》きわたった。

「は？」

横溝警部《よこみぞけいぶ》が、引《ひ》きぎみに阿笠博士《あがさはかせ》の方《ほう》を振《ふ》り返《かえ》る。しかし、今《いま》の声《こえ》は阿笠博士本人《あがさはかせほんにん》のものではなく、コナンが蝶《ちょう》ネクタイ型変声機《がたへんせいき》を使《つか》って出《だ》した声《こえ》だった。

「あ、いや…今《いま》のは…」

阿笠博士《あがさはかせ》は両手《りょうて》を胸《むね》の前《まえ》で振《ふ》ってごまかすと、背後《はいご》にいたコナンに「な、なんじゃ、ワシの声《こえ》を急《きゅう》に…」と小声《こごえ》で抗議《こうぎ》した。しかしコナンはかまわず、勝手《かって》に阿笠博士《あがさはかせ》の声《こえ》を出《だ》し続《つづ》けた。

『わかったんじゃよ…。密室《みっしつ》を作《つく》り出《だ》したトリックが…そしてそれを実行《じっこう》した犯人《はんにん》が誰《だれ》なのかがのぅ…』

「な、なんだって!?」

帰《かえ》ろうとしていた容疑者《ようぎしゃ》たちはいっせいに足《あし》を止《と》め、阿笠博士《あがさはかせ》の方《ほう》を振《ふ》り返《かえ》った。

「お、おい、新一君《しんいちくん》…」

みんなの視線《しせん》を受《う》けてうろたえる阿笠博士《あがさはかせ》を、コナンは「いいから、オレの声《こえ》に合《あ》わせて…」となだめた。

「——ったく…さっきからいってるだろ？　こりゃどー見《み》たって…」

盛岡《もりおか》があきれたように口《くち》を開《ひら》く。

阿笠博士《あがさはかせ》は仕方《しかた》なく、コナンが出《だ》す『甘《あま》い甘《あま》い…これだから素人《しろうと》さんは困《こま》るのじゃ…』という声《こえ》に合《あ》わせて、口《くち》をパクパク開《あ》けたり閉《と》じたりした。こうすることで、まるで自分《じぶん》がしゃべっているかのように見《み》せかけるのだ。

「素人《しろうと》ってあんた…」

『確《たし》かに部屋《へや》は密室《みっしつ》！　どー見《み》ても事故《じこ》にしか見《み》えんが…留守番電話《るすばんでんわ》のカセットテープと

チェスの駒《こま》を使《つか》えば…ものの見事《みごと》に密室《みっしつ》を完成《かんせい》させる事《こと》ができるのじゃ!!!』

意味《いみ》がわからず、横溝警部《よこみぞけいぶ》や盛岡《もりおか》は「カ、カセットテープと…チェスの駒《こま》…？」とぽかんとしてしまった。

「ホ、ホントかね、新一君《しんいちくん》？」

「バーロ、チラチラ見《み》てんじゃねーよ…もっと探偵《たんてい》らしく堂々《どうどう》と…」

不安《ふあん》げに振《ふ》り返《かえ》る阿笠博士《あがさはかせ》を、コナンがあわてて小声《こごえ》で注意《ちゅうい》する。

すると灰原《はいばら》が、面白《おもしろ》がるような微笑《びしょう》を浮《う》かべて口《くち》をはさんできた。

「論《ろん》より証拠《しょうこ》…やってみせてもらおうじゃない？　あなたが頭《あたま》の中《なか》で描《えが》いた空想《くうそう》のトリックを、今《いま》ここで…」

『おお！　望《のぞ》むところじゃ！　今《いま》、コナンに手伝《てつだ》ってもらってそれを再現《さいげん》しよう…』

コナンが自信満々《じしんまんまん》に阿笠博士《あがさはかせ》の声《こえ》で言《い》う。

阿笠博士《あがさはかせ》はすっかり不安《ふあん》になって、「ほ、本当《ほんとう》に大丈夫《だいじょうぶ》か？」と念押《ねんお》しした。しかし、コナンの自信《じしん》は揺《ゆ》るがない。

「ああオレを信《しん》じろ…。100％成功《パーセントせいこう》する!!」

断言《だんげん》すると、コナンは阿笠博士《あがさはかせ》の背後《はいご》から出《で》てきて、近《ちか》くにいた警察官《けいさつかん》に声《こえ》をかけた。

「ねえ、お巡《まわ》りさん！　携帯電話《けいたいでんわ》とか持《も》ってない？」

「ああ、持《も》ってるけど…」

「その手袋《てぶくろ》も貸《か》して！」

コナンが警察官《けいさつかん》から携帯電話《けいたいでんわ》と手袋《てぶくろ》を受《う》け取《と》ると、同時《どうじ》に入《い》り口《ぐち》のドアが開《ひら》いて、別《べつ》の警察官《けいさつかん》がカセットテープを片手《かたて》に入《はい》ってきた。

「横溝《よこみぞ》さん！　カセットテープ買《か》って来《き》ました！」

「え？　私《わたし》はそんな物頼《ものたの》んでないが…」

横溝警部《よこみぞけいぶ》が首《くび》をひねると、警察官《けいさつかん》は「あれ？　でもさっきこの子《こ》が…」とコナンを指《ゆび》さした。電話用《でんわよう》のカセットテープは、コナンがこっそり横溝警部《よこみぞけいぶ》の名前《なまえ》を使《つか》って、買《か》いに行《い》かせたものだったのだ。

「まーいいから、いいから…」

ニコニコしてカセットテープを受《う》け取《と》ると、コナンはいきなり、磁気《じき》テープをシュルルと勢《いきお》いよく伸《の》ばしてひっぱった。

「まずはカセットテープの中身《なかみ》を、適当《てきとう》な長《なが》さまで外《そと》に出《だ》してと…」

「あ、コラ…」

警察官《けいさつかん》が止《と》めようとするが、コナンはすばやく磁気《じき》テープを出《だ》しきると、そのままカセットテープを電話機《でんわき》にセットした。テープは輪《わ》っか状《じょう》に引《ひ》き出《だ》されている。

「カセットを電話《でんわ》にセットする…もちろんテープをはみ出《だ》させたままね…。次《つぎ》にはみ出《だ》したテープを真《ま》っ直《す》ぐ伸《の》ばしながら…ドアの外《そと》に出《で》て…鍵《かぎ》についてるリングにテープを通《とお》す…」

コナンは伸《の》ばしたテープを持《も》ったまま部屋《へや》の外《そと》に出《で》ると、書斎《しょさい》の鍵《かぎ》についていたリングの部分《ぶぶん》に伸《の》ばしたテープの先端《せんたん》を通《とお》して、推理《すいり》をそのまま実演《じつえん》してみせた。

「そしてその鍵《かぎ》をドアの外《そと》に残《のこ》したまま、余《あま》ったテープを持《も》って…部屋《へや》の中《なか》のノートが落《お》ちてた位置《いち》まで戻《もど》る…。後《あと》は高《たか》さの同《おな》じポーンの駒三《こまみっ》つを…三角形《さんかくけい》に置《お》き…余《あま》ったテープの先端《せんたん》を電話《でんわ》に一番近《いちばんちか》い駒《こま》に乗《の》せて…その上《うえ》にノートを乗《の》せて…」

どうやらコナンは、留守番電話《るすばんでんわ》にメッセージが録音《ろくおん》される時《とき》にテープが巻《ま》き取《と》られる力《ちから》を利用《りよう》して、テープに通《とお》した鍵《かぎ》を部屋《へや》の中《なか》に入《い》れるつもりらしい。伸《の》ばしたテープの先端《せんたん》の輪《わ》っか部分《ぶぶん》を歩兵《ほへい》のチェスの駒《こま》、ポーンにひっかけておけば、鍵《かぎ》はテープが巻《ま》き取《と》られる途中《とちゅう》で駒《こま》にぶつかり、テープからはずれて床《ゆか》の上《うえ》に残《のこ》される――という寸法《すんぽう》だ。

しかし灰原《はいばら》は、コナンの推理《すいり》を「フン…とんだ茶番《ちゃばん》だわ…」と嘲笑《あざわら》った。

「テープが引《ひ》っ張《ぱ》られる力《ちから》で駒《こま》を倒《たお》すつもりでしょうけど、しょせん机上《きじょう》の空論《くうろん》…。駒《こま》の台座《だいざ》はしっかりしてるから、倒《たお》れる前《まえ》に鍵《かぎ》は、駒《こま》にひっかかったままノートの外《そと》に出《で》て…」

「逆《さか》さだよ！　この後《あと》、駒《こま》を逆《さか》さにするんだ!!」

コナンは強気《つよき》に満《み》ちて言《い》うと、チェスのポーンをひっくり返《かえ》して手《て》に持《も》った。

ポーンの駒《こま》は台座《だいざ》にボールをのせたような形《かたち》をしていて、先端《せんたん》が丸《まる》くなっている。

「え？」

「駒《こま》の頭《あたま》が丸《まる》くても…このノートの様《よう》に裏《うら》の厚紙《あつがみ》がしっかりしていれば、乗《の》せられるはず…」

ひっくり返《かえ》したポーンを床《ゆか》の上《うえ》に置《お》いて、その上《うえ》にノートをのせると、コナンは携帯電《けいたいでん》話《わ》を片手《かたて》に部屋《へや》の外《そと》に出《で》た。

「まあ見《み》てなって…。オレが今《いま》からやってみせてやっから…」

ドアを閉《し》めると、携帯電話《けいたいでんわ》を操作《そうさ》して、さっそく、電話《でんわ》をかけてみる。

「まずは部屋《へや》の外《そと》で鍵《かぎ》を掛《か》け…鍵《かぎ》を床《ゆか》に置《お》き、電話《でんわ》をかける…。すると留守番電話《るすばんでんわ》が作動《さどう》し…テープが巻《ま》き取《と》られる…」

スルスルと巻《ま》き取《と》られていくテープにひきずられて、鍵《かぎ》はドアの下《した》のスキ間《ま》から部屋《へや》の中《なか》へと入《はい》っていった。

「その力《ちから》で、鍵《かぎ》はドアの下《した》でスキ間《ま》を通《とお》り…部屋《へや》の中央《ちゅうおう》に仕掛《しか》けたノートの下《した》に入《はい》り…やがて駒《こま》にぶつかり…駒《こま》はバランスを崩《くず》して…鍵《かぎ》は…ノートの下《した》に…」

コナンの予告《よこく》どおり、鍵《かぎ》がポーンにぶつかると、ポーンはバランスを崩《くず》してぐらっと倒《たお》れた。テープは鍵《かぎ》からはずれ、ポーンが倒《たお》れたことにより上《うえ》に置《お》かれていたノートが落《お》ちてきて――。

パサッ。

鍵《かぎ》は、ノートの下《した》に入《はい》ってしまった。

「は、入《はい》った!!」

容疑者《ようぎしゃ》たちは目《め》を見開《みひら》いて驚《おどろ》いた。これで、コナンたちが広田《ひろた》の遺体《いたい》を見《み》つけた時《とき》とまったく同《おな》じ状況《じょうきょう》のできあがりだ。

密室殺人《みっしつさつじん》のトリックは、これで完全《かんぜん》に暴《あば》かれてしまった。

「なるほど…留守番電話《るすばんでんわ》を動《うご》かし続《つづ》ければテープは巻《ま》き取《と》られ、証拠《しょうこ》もなくなるというわけか…」

横溝警部《よこみぞけいぶ》は、阿笠博士《あがさはかせ》の推理《すいり》にすっかり感心《かんしん》しているようだ。

コナンはガチャッとドアを開《あ》け、「どう？　うまくいった？」と得意《とくい》げに顔《かお》を出《だ》した。

「おお!!　バッチリじゃ新一《しんいち》…」

テンションがあがった阿笠博士《あがさはかせ》は、うっかり「新一君《しんいちくん》」と呼《よ》びかけそうになり、「え？」と横溝警部《よこみぞけいぶ》にけげんそうな顔《かお》を向《む》けられてしまった。

「あ、いや…ワシの思《おも》ったとおりじゃ、ハハハ…」

阿笠博士《あがさはかせ》が強引《ごういん》にごまかすと、コナンはまた何食《なにく》わぬ顔《かお》で阿笠博士《あがさはかせ》の声《こえ》を出《だ》し、推理《すいり》を再開《さいかい》した。

『ちなみに…駒《こま》の立《た》てる位置《いち》をノートの隅《すみ》にすれば、駒《こま》がノートの下《した》に入《はい》り込《こ》みにくくなるが…まあ入《はい》ったとしても不自然《ふしぜん》には見《み》えんじゃろう…』

「……となるとこのトリックを使《つか》えたのは…。10件《けん》も留守番電話《るすばんでんわ》に伝言《でんごん》を入《い》れている…白《しら》倉陽《くらあきら》さん!! あなたという事《こと》になりますね!!!」

横溝警部《よこみぞけいぶ》に名指《なざ》しされ、白倉《しらくら》は言葉《ことば》を失《うしな》って立《た》ちつくした。

「じゃあ、あんたが主人《しゅじん》を!?」

登志子《としこ》が目《め》に涙《なみだ》をためて食《く》ってかかる。

「ちょ、ちょっと…」と視線《しせん》を泳《およ》がせる白倉《しらくら》に、横溝警部《よこみぞけいぶ》はずいっと顔《かお》を近《ちか》づけた。

「テープが所々《ところどころ》ねじれていたのは、トリックを使《つか》った証拠《しょうこ》…間違《まちが》いありませんね？」

「ちょっとまってくださいよ!! 確《たし》かに今《いま》のトリックはすごいと思《おも》いますよ！ でも、なんでそれをやったのが僕《ぼく》なんですか？」

白倉《しらくら》は次第《しだい》に冷静《れいせい》さをとり戻《もど》し、横溝警部《よこみぞけいぶ》に反論《はんろん》を始《はじ》めた。

「僕《ぼく》は留守番電話《るすばんでんわ》に多目《おおめ》に伝言《メッセージ》を入《い》れただけじゃないですか!! だいいち、僕《ぼく》が犯人《はんにん》ならわざわざ現場《げんば》に戻《もど》って来《き》たりは…」

『戻《もど》って来《き》たのはある物《もの》を回収《かいしゅう》するためじゃろ？』

阿笠博士《あがさはかせ》に指摘《してき》され、白倉《しらくら》の頬《ほお》に汗《あせ》が浮《う》かぶ。

「え？」

『そう…あなたの指紋《しもん》がベタベタついた…留守番電話《るすばんでんわ》のテープをな!!』

はっきりと言《い》われ、白倉《しらくら》は表情《ひょうじょう》を凍《こお》りつかせた。

『さっきテープを見《み》させてもらった時《とき》、一目《ひとめ》でわかったよ…誰《だれ》かの指紋《しもん》が多数付着《たすうふちゃく》しているのは…。そしてこれが、準備《じゅんび》なしの衝動的《しょうどうてき》な犯行《はんこう》じゃという事《こと》もな…。おそらくあなたは今夜《こんや》、広田教授《ひろたきょうじゅ》に会《あ》い何《なに》かで口論《こうろん》になり、思《おも》わず撲殺《ぼくさつ》してしまったんじゃ…。運《うん》よく今《いま》のトリックを思《おも》いつき、事故死《じこし》に見《み》せかけて密室《みっしつ》にする事《こと》はできたが…しょせん準備《じゅんび》なしの殺人《さつじん》…手袋《てぶくろ》なしじゃテープに指紋《しもん》が残《のこ》ってしまう…』

阿笠博士《あがさはかせ》の推理《すいり》に追《お》い詰《つ》められ、白倉《しらくら》はみるみる生気《せいき》を失《うしな》って、うつむいた。

『そこであなたは死体《したい》の第一発見者《だいいちはっけんしゃ》になり、現場《げんば》が密室《みっしつ》だった事《こと》を奥《おく》さんに確認《かくにん》させた後《あと》、スキを見《み》てテープをスリ替《か》えるつもりじゃったが、先《さき》にワシらに発見《はっけん》され、警察《けいさつ》が来《き》てしまい、仕方《しかた》なく伝言《メッセージ》どおりにここへ来《き》たというわけじゃ！　わざわざ伝言《メッセージ》に自分《じぶん》の名前《なまえ》を名乗《なの》ったのは、テープを回収《かいしゅう》する事《こと》ができなかった場合《ばあい》でもトリックを見破《みやぶ》られにくくするため…。無言《むごん》の伝言《メッセージ》がたくさん入《はい》っていれば、否《いや》が応《おう》でも自分《じぶん》の指紋《しもん》のついたテープが注目《ちゅうもく》されてしまうからのう…』

テープから白倉《しらくら》の指紋《しもん》が見《み》つかれば、もう言《い》い逃《のが》れはできない。

白倉《しらくら》は反論《はんろん》の言葉《ことば》を失《うしな》い、奥歯《おくば》を噛《か》んで黙《だま》りこんだ。顔色《かおいろ》がすっかり青白《あおじろ》くなっている。

広田《ひろた》を殺《ころ》して密室殺人《みっしつさつじん》を作《つく》り上《あ》げた犯人《はんにん》が白倉《しらくら》だったのなら、盗《ぬす》まれたフロッピーも白倉《しら》《くら》がまだ所持《しょじ》しているのだろう。

『なんなら白倉《しらくら》さんの周辺《しゅうへん》を調《しら》べてみるがいい…。どこかに教授《きょうじゅ》のフロッピーがあるはずじゃ…。ごっそり持《も》っていったフロッピーの中身《なかみ》を、この短時間《たんじかん》で全《すべ》て確認《かくにん》するのは無理《むり》じゃろうから…』

「ではまず、あなたの家《いえ》の中《なか》から…。よろしいですか、白倉《しらくら》さん？」

横溝警部《よこみぞけいぶ》に確認《かくにん》され、白倉《しらくら》は観念《かんねん》したように口《くち》を開《ひら》いた。

「この家《いえ》の前《まえ》に停《と》めた僕《ぼく》の車《くるま》のダッシュボード…フロッピーは全部《ぜんぶ》そこにあるよ…。あの写真《しゃしん》のデータが入《はい》ったフロッピーもな…」

「あの写真《しゃしん》？」

「さっきもいったでしょ？　雑誌《ざっし》の企画《きかく》で『モデルの意外《いがい》な素顔《すがお》』ってヤツをやる事《こと》にな

ったって…。それで広田先生《ひろたせんせい》に、僕《ぼく》が大学祭《だいがくさい》で女装《じょそう》した写真《しゃしん》を送《おく》ってくれと頼《たの》んだんだ…。ところが先生《せんせい》から送《おく》られて来《き》たのは『君《きみ》の素顔《すがお》はこれに勝《まさ》る物《もの》なし』というメッセージと共《とも》に入《はい》っていた…僕《ぼく》の昔《むかし》の顔《かお》…」

「昔《むかし》の顔《かお》？」

「整形《せいけい》したんですよ…。モデルになった時《とき》に…名前《なまえ》も変《か》えてね…。丁度《ちょうど》いいと思《おも》ったんだ…。化粧《けしょう》とカツラで顔《かお》がはっきりしないし、女装《じょそう》の写真《しゃしん》なら笑《わら》えるし…」

整形《せいけい》する前《まえ》の白倉《しらくら》は、今《いま》よりおっとりした印象《いんしょう》の素朴《そぼく》な顔立《かおだ》ちをしていた。現在《げんざい》の顔《かお》と大《おお》きくちがうわけではないが、それでも整形《せいけい》したことは一目《ひとめ》でわかってしまう。

「当然《とうぜん》、昔《むかし》の顔《かお》を編集部《へんしゅうぶ》に渡《わた》せるわけもなく…なんとか女装《じょそう》の写真《しゃしん》を貸《か》してもらおうと先生《せんせい》に掛《か》け合《あ》ったけど…先生《せんせい》は…」

広田《ひろた》との会話《かいわ》を思《おも》い出《だ》し、白倉《しらくら》は顔《かお》をゆがめた。

酒《さけ》に酔《よ》って対応《たいおう》した広田《ひろた》は、白倉《しらくら》にこう言《い》い放《はな》ったのだ。

——ああ…君《きみ》が女《おんな》のカッコをしたふざけた写真《しゃしん》なら、どのフロッピーに入《い》れたか忘《わす》れてしまったよ！　君《きみ》の所《ところ》に送《おく》った写真《しゃしん》ならすぐ出《で》るぞ！　なんならワシが直接《ちょくせつ》、編集部《へんしゅうぶ》に送《おく》ってやろうか？

「その言葉《ことば》にキレて…我《われ》に返《かえ》ったら、目《め》の前《まえ》に広田先生《ひろたせんせい》が倒《たお》れていたんです…。後《あと》はその人《ひと》の言《い》ったとおり…何《なに》もかもズバリ的中《てきちゅう》ですよ…」

白倉《しらくら》が、力《ちから》の抜《ぬ》けた表情《ひょうじょう》で阿笠博士《あがさはかせ》を見《み》つめる。

「では署《しょ》まで…」

横溝警部《よこみぞけいぶ》に促《うなが》され、近《ちか》くにいた警察官《けいさつかん》が「ハッ！」とうなずいて、白倉《しらくら》を連行《れんこう》していく。

阿笠博士《あがさはかせ》は、去《さ》っていく白倉《しらくら》に、そっと声《こえ》をかけた。

「白倉《しらくら》さん…。余計《よけい》な事《こと》かもしれんが…きっと広田教授《ひろたきょうじゅ》は『自分《じぶん》を偽《いつわ》らずもっと自分《じぶん》に自《じ》信《しん》を持《も》て』と…そう伝《つた》えたくて昔《むかし》の写真《しゃしん》を送《おく》ったんじゃと思《おも》いますよ…」

白倉《しらくら》は、ふっと乾《かわ》いた笑《わら》いを浮《う》かべた。

「…その言葉《ことば》…広田先生《ひろたせんせい》から直接《ちょくせつ》聞《き》きたかった…。残念《ざんねん》です…」


コナンの推理《すいり》によって、事件《じけん》は無事《ぶじ》に解決《かいけつ》した。

「いやあ見事《みごと》な推理《すいり》!!　事件《じけん》が解決《かいけつ》したのはあなたのおかげですよ、阿笠《あがさ》さん!!」

横溝警部《よこみぞけいぶ》がホクホク顔《がお》で、声《こえ》を弾《はず》ませる。

自分《じぶん》で推理《すいり》をしていない阿笠博士《あがさはかせ》は、「あ、いやまあ…」と居心地悪《いごこちわる》そうに、乾《かわ》いた笑《え》みを浮《う》かべた。

「それより、ワシが取《と》りに来《き》たフロッピーをすぐに返《かえ》して欲《ほ》しいんじゃが…」

「ダメですよ！　証拠物件《しょうこぶっけん》は一応《いちおう》、署《しょ》で調《しら》べてからじゃないと…」

すげなく断《ことわ》られ、阿笠博士《あがさはかせ》は背後《はいご》にいるコナンの方《ほう》を振《ふ》り返《かえ》った。

「…だそうじゃ！　どうする？」

「しゃーねーな…。とりあえずここから引《ひ》きあげるとするか…」

警察《けいさつ》が押収《おうしゅう》するとあっては、さすがにコナンも手《て》を出《だ》すことができない。事件《じけん》と無関係《むかんけい》だとわかれば、いずれはコナンのもとに送《おく》り返《かえ》されてくるだろう。今日《きょう》のところはひきさがるほかないようだ。

「ホラ、早《はや》くおまえも…」

コナンは、阿笠博士《あがさはかせ》と一緒《いっしょ》に現場《げんば》から立《た》ち去《さ》ろうと歩《ある》きだしながら、つっ立《た》ったまま動《うご》かない灰原《はいばら》に声《こえ》をかけた。

「……どうして…？」

灰原《はいばら》が、かすれた声《こえ》をしぼりだす。コナンは驚《おどろ》いて足《あし》を止《と》めた。

「どうしてお姉《ねえ》ちゃんを…助《たす》けてくれなかったの？」

コナンにそう訴《うった》えながら、灰原《はいばら》はぽろぽろと涙《なみだ》をこぼしていた。

「お、お姉《ねえ》ちゃん…？」

「まだわからないの？　ヒロタマサミは広田教授《ひろたきょうじゅ》から取《と》ってつけたお姉《ねえ》ちゃんの偽名《ぎめい》よ!!」

コナンはようやく「ま、まさか…あの10億円強奪犯《おくえんごうだつはん》の広田雅美《ひろたまさみ》って…」と思《おも》い出《だ》した。

今回殺《こんかいころ》された広田正巳教授《ひろたまさみきょうじゅ》の名前《なまえ》を聞《き》いた時《とき》、どこかで聞《き》いたことがあるような気《き》がしたが、それは十億円強奪犯《じゅうおくえんごうだつはん》の広田雅美《ひろたまさみ》と同《おな》じ名前《なまえ》だったからなのだ。

ジンに射殺《しゃさつ》されコナンの目《め》の前《まえ》で亡《な》くなった広田雅美《ひろたまさみ》は、灰原《はいばら》の姉《あね》だったのだと、この時《とき》コナンは初《はじ》めて気《き》がついた。

泣《な》いている灰原《はいばら》に気《き》づいて、横溝警部《よこみぞけいぶ》が不思議《ふしぎ》そうな視線《しせん》を向《む》けてくる。

阿笠博士《あがさはかせ》は「お、おい…」と間《あいだ》に割《わ》って入《はい》ろうとするが、灰原《はいばら》は目《め》に涙《なみだ》をためたまま、悲《かな》しげにコナンをにらみつけた。

「あなたほどの…あなた程《ほど》の推理力《すいりりょく》があれば…お姉《ねえ》ちゃんの事《こと》ぐらい、簡単《かんたん》に見抜《みぬ》けたはずじゃない!!　なのに……なのに……」

声《こえ》を震《ふる》わせながら、コナンの服《ふく》の胸《むな》もとをきゅっとつかむ。そのまま力《ちから》なく膝《ひざ》をつくと、灰原《はいばら》は「どーーしてよーー!!!」と泣《な》き崩《くず》れた。

震《ふる》えるような灰原《はいばら》の涙声《なみだごえ》が、忘《わす》れかけていた苦《にが》く悲《かな》しい事件《じけん》をコナンの脳裏《のうり》に蘇《よみがえ》らせた。

それは灰原《はいばら》がコナンに初《はじ》めて見《み》せた、素顔《すがお》だったのかもしれない。


一週間後《いっしゅうかんご》、警察《けいさつ》からフロッピーが届《とど》き、コナンたちはさっそく、博士《はかせ》のコンピューターで開《ひら》くことにした。

「しかしよく警察《けいさつ》のチェックを通《とお》ったの〜〜〜…」

パソコンに向《む》かいフロッピーの中身《なかみ》を確認《かくにん》する灰原《はいばら》を見守《みまも》りながら、阿笠博士《あがさはかせ》がしみじみと言《い》う。

「組織《そしき》から配給《はいきゅう》されるフロッピーは、パスワードを入力《にゅうりょく》しなきゃただの文書《ぶんしょ》ファイル…。怪《あや》しまれるわけないわ…」

「どうだ？　出《で》そうか？」

コナンが緊張《きんちょう》した面持《おもも》ちで聞《き》き、灰原《はいばら》は「ええ…」とうなずいた。

「それに、入《はい》ってるデータは薬《くすり》だけじゃないわ…。私《わたし》が入《はい》る前《まえ》に携《たずさ》わった人《ひと》の実名《じつめい》と住所《じゅうしょ》が、コードネームと一緒《いっしょ》に入《はい》ってるはずよ…。この研究《けんきゅう》に出資《しゅっし》した人物《じんぶつ》の名前《なまえ》もね…」

「なるほど…。うまくすれば…奴《やつ》らをまる裸《はだか》に出来《でき》るかもしれねえってわけか…」

コナンは期待《きたい》にうずく心《こころ》をおさえきれず、緊張《きんちょう》しながらも不敵《ふてき》に微笑《びしょう》した。


その頃《ころ》、都内《とない》の道路《どうろ》を、ジンの愛車《あいしゃ》であるポルシェ356A《エー》が走《はし》っていた。ジンが運転《うんてん》席《せき》でハンドルを握《にぎ》り、ウォッカは助手席《じょしゅせき》に座《すわ》っている。

「兄貴《あにき》…。例《れい》の広田《ひろた》ってジジイ…くたばったらしいですぜ…」

ウォッカが報告《ほうこく》すると、ジンは「ああ…殺《バラ》す手間《てま》が省《はぶ》けたな…」と満足《まんぞく》げにうなずいた。

「けど…相変《あいか》わらず、ガス室《しつ》から消《き》えたあの女《おんな》の消息《しょうそく》はわからねーまま…」

「今《いま》、組織《そしき》の内部《ないぶ》に奴《やつ》の逃亡《とうぼう》を手助《てだす》けしたネズミがいなかったかどうか、洗《あら》ってるところだ…。それに…奴《やつ》の立《た》ち回《まわ》りそうな場所《ばしょ》はこれで全《すべ》て潰《つぶ》れた…。その内《うち》、奴《やつ》の方《ほう》からシッポを出《だ》すさ…」

余裕《よゆう》に満《み》ちたジンの口調《くちょう》とは対照的《たいしょうてき》に、ウォッカは心配《しんぱい》そうだ。

「でも兄貴《あにき》…例《れい》の薬《くすり》のフロッピー、警察《けいさつ》に押収《おうしゅう》されちまったって聞《き》きやしたけど…」

「なーに心配《しんぱい》するな…。あのフロッピーにはちょっとした仕掛《しか》けがあってな…」

そう言《い》うと、ジンは唇《くちびる》の端《はし》をゆがめてニヤリと笑《わら》った。


灰原《はいばら》は、阿笠博士《あがさはかせ》のパソコンでフロッピーを開《ひら》き、表示《ひょうじ》された文書《ぶんしょ》ファイルにパスワードを入力《にゅうりょく》して、薬《くすり》の情報《じょうほう》が入《はい》ったデータを開《ひら》いた。パッと画面《がめん》が切《き》り替《か》わり、求《もと》めていた薬《くすり》のデータが表示《ひょうじ》される。

しかし安心《あんしん》したのも束《つか》の間《ま》、次《つぎ》の瞬間《しゅんかん》、黒《くろ》い染《し》みのようなものが画面《がめん》の下《した》から広《ひろ》がって、あっという間《ま》に文書全体《ぶんしょぜんたい》を覆《おお》いつくした。

「な、なんじゃこれは⁉」

「コンピューターウイルス…闇の男爵《ナイトバロン》!!!」

灰原《はいばら》は焦《あせ》った声《こえ》を出《だ》し、カシャカシャとキーボードを叩《たた》いたが、画面《がめん》は真《ま》っ暗《くら》になったままなんの変化《へんか》もない。

「なに⁉」と驚《おどろ》くコナンに、灰原《はいばら》は説明《せつめい》した。

「組織《そしき》のコンピューター以外《いがい》で立《た》ち上《あ》げると、ウイルスが発生《はっせい》する様《よう》にフロッピー自体《じたい》にプログラムされてたのよ…。迂闊《うかつ》だったわ…」

「じゃあデータは…全部《ぜんぶ》…」

「ええ…何《なに》もかも全《すべ》て消滅《しょうめつ》したわ…」

そう言《い》うと、灰原《はいばら》はあきらめたようにパソコンの前《まえ》からどいた。

「あなたとは長《なが》い付《つ》き合《あ》いになりそーね…。江戸川君《えどがわくん》…」

そう言《い》い残《のこ》し、自分《じぶん》の部屋《へや》の方《ほう》へと戻《もど》っていく。

組織《そしき》のことに詳《くわ》しい灰原《はいばら》が、データが消滅《しょうめつ》したと言《い》いきっているからには、復旧《ふっきゅう》は不可《ふか》能《のう》なのだろう。

残《のこ》されたコナンは呆然《ぼうぜん》と立《た》ちつくし、阿笠博士《あがさはかせ》は、もしや薬《くすり》のデータだけでなくパソコンごと壊《こわ》れてしまったのではないかと、大《おお》あわてでパソコンの状態《じょうたい》を確認《かくにん》し始《はじ》めた。

トイレに隠《かく》した秘《ひ》密《みつ》

DETECTIVE
CONAN

AI HAIBARA SELECTION

灰原《はいばら》は、風邪《かぜ》で高熱《こうねつ》を出《だ》し、ベッドの上《うえ》に横《よこ》たわっていた。

もともと風邪《かぜ》で体調《たいちょう》が悪《わる》かったところ、とあるデパートで起《お》きた殺人事件《さつじんじけん》に巻《ま》き込《こ》まれて長時間足止《ちょうじかんあしど》めをくらい、完全《かんぜん》にダウンしてしまったのだ。渋《しぶ》る警察《けいさつ》を阿笠博士《あがさはかせ》が説得《せっとく》してなんとか解放《かいほう》してもらい、面識《めんしき》のあった医師《いし》、新出智明《あらいでともあき》の診察《しんさつ》を受《う》けてからずっと、灰《はい》原《ばら》は泥《どろ》のように眠《ねむ》り続《つづ》けている。

そして、真夜中《まよなか》。

眠《ねむ》っているような起《お》きているような、微妙《びみょう》な意識《いしき》の中《なか》でうつらうつらしながら、灰原《はいばら》の頭《あたま》の中《なか》には、コナンの声《こえ》が響《ひび》いていた。

——知《し》ってるか？　そいつをかけてると、正体《しょうたい》が絶対《ぜったい》バレねーんだ……。

——逃《に》げるなよ灰原《はいばら》！　自分《じぶん》の運命《うんめい》から、逃《に》げるんじゃねーぞ!!

——オレ、アイツと約束《やくそく》しちまったんだ……。ヤバくなったら、オレがなんとかしてやるって…。アイツ、見《み》かけよりタフじゃねえからよ……。

すべて、これまでコナンが灰原《はいばら》に実際《じっさい》に言《い》った言葉《ことば》だ。組織《そしき》に捕《つか》まりそうになって灰原《はいばら》の身《み》に危険《きけん》が及《およ》んだ時《とき》、コナンはいつも、強《つよ》い言葉《ことば》で灰原《はいばら》のことを励《はげ》まし、そして実際《じっさい》に守《まも》ってくれた。

灰原《はいばら》はコホコホと咳《せき》をしながら身体《からだ》を起《お》こした。

ふと見《み》ると、ベッドのそばのローテーブルの上《うえ》には、薬《くすり》と水《みず》の入《はい》ったコップが置《お》かれている。

(薬《くすり》…お医者《いしゃ》さんに診《み》てもらったのね……。覚《おぼ》えてないけど…。記憶《きおく》にあるのは、博士《はかせ》に抱《かか》えられてデパートを出《で》て…確《たし》かあの後《あと》…確《たし》か…)

眠《ねむ》りにつく前《まえ》の記憶《きおく》を探《さぐ》り、灰原《はいばら》はハッと目《め》を見開《みひら》いた。意識《いしき》を失《うしな》う直前《ちょくぜん》、確《たし》かに、黒《くろ》ずくめの組織《そしき》にいた人間《にんげん》の気配《けはい》を感《かん》じた気《き》がしたのだ。

灰原《はいばら》は、組織《そしき》に在籍《ざいせき》していたことのある者《もの》だけがまとう『におい』のようなものを、肌《はだ》で感《かん》じることができる。それが誰《だれ》なのか明確《めいかく》にわかるわけではないが、その場《ば》に組織《そしき》の『におい』をまとう人間《にんげん》がいるかどうかは、察知《さっち》できるのだ。

もしかしたら、すでに身近《みぢか》なところまで、組織《そしき》の手《て》が迫《せま》っているのかもしれない——灰《はい》原《ばら》はにわかに緊張《きんちょう》したが、部屋《へや》の片隅《かたすみ》でパソコンを開《ひら》いたまま眠《ねむ》りこんでいる阿笠博士《あがさはかせ》の姿《すがた》に気《き》がついて、ふっと肩《かた》の力《ちから》を抜《ぬ》いた。

（バカね…。見《み》つかってたらあんな夢《ゆめ》、見《み》てる状況《じょうきょう》じゃないし……博士《はかせ》だってああやってうたた寝《ね》…）

ピチャッ。

博士《はかせ》の足《あし》もとで、赤《あか》い液体《えきたい》が跳《は》ねた。

よく見《み》ると、博士《はかせ》がつっぷしたデスクの上《うえ》から、赤《あか》い血《ち》のようなものが垂《た》れている。まるで博士《はかせ》が出血《しゅっけつ》しているかのようだ。

「!? は、博士《はかせ》!?」

灰原《はいばら》はベッドからとびおり、阿笠博士《あがさはかせ》のもとへ駆《か》け寄《よ》った。

「博士《はかせ》!? 博士《はかせ》!!!」

「よォ…起《お》きたのか？」

緊張感《きんちょうかん》のないコナンの声《こえ》がして、灰原《はいばら》は「え？」と顔《かお》を向《む》けた。

コナンは、吹《ふ》き抜《ぬ》けになった二階《にかい》の手《て》すりに腰《こし》かけ、ぼんやりと窓《まど》の外《そと》を眺《なが》めている。

コロコロと、デスクの上《うえ》から空《あ》き缶《かん》が転《ころ》がってきて、カンと床《ゆか》に落《お》ちた。

「あ…」

（トマトジュース…）

血《ち》に見《み》えたのは、どうやらこぼれたトマトジュースだったらしい。阿笠博士《あがさはかせ》は、のんきにムニャムニャいいながら、眠《ねむ》っているだけだった。

「博士《はかせ》に言《い》っとけよ…缶《かん》ジュース飲《の》みながらネット見《み》るの止《や》めなって…。どーせ途中《とちゅう》で寝《ね》ちまって、こぼしちまうから…」

「そ、それより、どうしてあなた…」

普段《ふだん》は毛利探偵事務所《もうりたんていじむしょ》に居候《いそうろう》しているコナンが、どうしてこんな時間《じかん》に阿笠博士《あがさはかせ》の家《いえ》にいるのだろう。灰原《はいばら》の疑問《ぎもん》に、コナンは背中《せなか》を向《む》けて窓《まど》を見《み》つめたまま答《こた》えた。

「嫌《いや》な予感《よかん》がしたから様子《ようす》を見《み》に来《き》ただけだよ…。オメーの看病《かんびょう》の手伝《てつだ》いするって言《い》ってな……。まぁ、取《と》り越《こ》し苦労《ぐろう》だったみてーだから……安心《あんしん》して寝《ね》てていいぞ…」


翌日《よくじつ》、灰原《はいばら》が風邪《かぜ》で寝《ね》こんでいると聞《き》いた蘭《らん》は、エプロンと食材持参《しょくざいじさん》で阿笠博士《あがさはかせ》の家《いえ》へとやって来《き》た。灰原《はいばら》のために、料理《りょうり》を作《つく》ってくれるという。

「お待《ま》ちどーさまー♪　できたよ、玉子粥《たまごがゆ》!!　樽雅亭《たるがてい》のには負《ま》けちゃうけど…」

お盆《ぼん》の上《うえ》に小《ちい》さな土鍋《どなべ》をのせ、蘭《らん》は満面《まんめん》の笑《え》みでキッチンから出《で》てきた。

しかし灰原《はいばら》は、蘭《らん》から顔《かお》をそむけるようにして、目《め》を閉《と》じて眠《ねむ》っている。

「あれ…寝《ね》ちゃったの？」

「変《へん》じゃのォ…。蘭君《らんくん》が来《く》る前《まえ》は、起《お》きておったのに……」

灰原《はいばら》の寝顔《ねがお》をのぞきこみ、阿笠博士《あがさはかせ》がいぶかしげな表情《ひょうじょう》になる。

「まあ、ここに置《お》いておくから、味《あじ》の感想《かんそう》聞《き》いといてね♡」

蘭《らん》は、玉子粥《たまごがゆ》ののったお盆《ぼん》を、ベッドの隣《となり》のローテーブルに置《お》いた。子供用《こどもよう》の小《ちい》さなレンゲと、とり分《わ》け用《よう》の小皿《こざら》、そして薬味《やくみ》まできちんと用意《ようい》してある。

「う、うん…」

コナンがうなずくと、蘭《らん》はエプロンを脱《ぬ》いで丁寧《ていねい》にたたみ、カバンの中《なか》にしまった。

「じゃあわたし、園子《そのこ》と約束《やくそく》があるから…」

「あ、帰《かえ》る時《とき》は来《き》た時《とき》と一緒《いっしょ》で…」

コナンの言葉《ことば》に、蘭《らん》は「地下室《ちかしつ》を通《とお》って裏口《うらぐち》からでしょ？」と笑顔《えがお》でうなずき、

「早《はや》く玄関《げんかん》のドアの修理《しゅうり》した方《ほう》がいいよ、博士《はかせ》！」

と阿笠博士《あがさはかせ》に声《こえ》をかけて去《さ》っていく。

「あ、ああ…」

阿笠博士《あがさはかせ》があいまいな相《あい》づちを打《う》つ。

蘭《らん》には、玄関《げんかん》のドアを修理《しゅうり》するためと伝《つた》えていたが、地下室《ちかしつ》を通《とお》って出入《でい》りする本当《ほんとう》の理由《りゆう》は、黒《くろ》ずくめの組織《そしき》の目《め》を避《さ》けるためだ。

蘭《らん》が出《で》て行《い》くと、コナンはあきれて灰原《はいばら》に声《こえ》をかけた。

「——ったく…泣《な》き真似《まね》はうめーけど、寝《ね》たフリはヘタだなオメー…」

灰原《はいばら》がぱちっと目《め》を開《あ》ける。

先《さき》ほど蘭《らん》の前《まえ》で眠《ねむ》っていたのは、狸寝入《たぬきねい》りだったのだ。

「何《なん》なんだよ？　わざわざ粥《かゆ》作《つく》りに来《き》てくれたっていうのに、シカトかよ？」

「別《べつ》に…頼《たの》んだわけじゃないから……」

そう言《い》うと、灰原《はいばら》はコホコホと咳《せき》をした。

「まぁオメーが世話好《せわず》きの、蘭《らん》みてーなタイプが苦手《にがて》なのはわからなくはねーけど…せっかく作《つく》ってくれたんだから、冷《さ》める前《まえ》に食《た》べちまえよな！」

そう言《い》ってベッドのそばを離《はな》れていくコナンの姿《すがた》を、灰原《はいばら》は布団《ふとん》の陰《かげ》から目《め》の端《はし》でそっと追《お》いかけた。

（わかってないのね…何《なに》も…。まぁ、わかって欲《ほ》しくもないけど…）

心《こころ》の中《なか》でつぶやき、むくりと身体《からだ》を起《お》こす。

玉子粥《たまごがゆ》の入《はい》った土鍋《どなべ》のフタをぱかっと開《あ》けると、あたたかい湯気《ゆげ》が立《た》ちのぼった。とり分《わ》け皿《ざら》に少《すこ》しよそって、ふーふーと冷《さ》ましてから一口《ひとくち》食《た》べてみる。

「あち…」

玉子粥《たまごがゆ》は熱《あつ》くて、やさしい味《あじ》がした。薄《うす》くしみでた出汁《だし》の味《あじ》がおいしくて、灰原《はいばら》は思《おも》わず顔《かお》をほころばせていた。

「でも、丁度《ちょうど》冬休《ふゆやす》みに入《はい》ってよかったわい…」

「ああ…妙《みょう》な奴《やつ》らがつけ狙《ねら》ってるのに、灰原《はいばら》を出歩《であ》かさせるわけにはいかねぇからな……」

「まだセキは多少《たしょう》出《で》るようじゃが、哀君《あいくん》の容体《ようだい》も大分《だいぶ》よくなってきておるようじゃし…こりゃー休《やす》み明《あ》けにでも哀君《あいくん》の父親《ちちおや》の宮野博士《みやのはかせ》の友人《ゆうじん》に会《あ》いに、哀君《あいくん》を連《つ》れて行《い》けるかもしれんのォ…」

コナンと阿笠博士《あがさはかせ》の会話《かいわ》を聞《き》いた灰原《はいばら》は、「え？」と玉子粥《たまごがゆ》を食《た》べる手《て》を止《と》めた。

宮野博士《みやのはかせ》というのは、灰原《はいばら》の父親《ちちおや》の宮野厚司博士《みやのあつしはかせ》のこと。灰原《はいばら》と同《おな》じように、黒《くろ》ずくめの組織《そしき》で科学者《かがくしゃ》をしていたが、灰原《はいばら》が生《う》まれた直後《ちょくご》に研究所《けんきゅうじょ》が火事《かじ》に遭《あ》い、妻《つま》の宮野《みやの》エレーナと共《とも》に死亡《しぼう》したとされている。

その宮野厚司《みやのあつし》の友人《ゆうじん》に会《あ》いに行《い》けるとは、いったいどういうことだろう？

「おい、どーいう事《こと》だよそれ⁉」

コナンも驚《おどろ》いた表情《ひょうじょう》で阿笠博士《あがさはかせ》に詰《つ》め寄《よ》っている。コナンにとっても初耳《はつみみ》だったらしい。

「あれ？　言《い》っておらんかったか？　知《し》り合《あ》いの博士《はかせ》に宮野博士《みやのはかせ》の事《こと》をあたってみたら、彼《かれ》には小中高《しょうちゅうこう》と同級生《どうきゅうせい》で、デザイナーをやっておる幼《おさな》なじみがいる事《こと》がわかったんじゃよ！　なんでも、宮野博士《みやのはかせ》が若《わか》い頃《ころ》に自費出版《じひしゅっぱん》した本《ほん》の装丁《そうてい》を、その幼《おさな》なじみが請《う》け負《お》ったらしくてな。本《ほん》は売《う》れなかったが、そのデザインが斬新《ざんしん》で、博士達《はかせたち》の間《あいだ》でも評判《ひょうばん》じゃったよ…。その人《ひと》に会《あ》えば、君《きみ》がいう黒《くろ》ずくめの男達《おとこたち》の事《こと》や、哀君《あいくん》の両親《りょうしん》の事《こと》がもっと詳《くわ》しくわかるかもしれんと思《おも》ってのォ……」

阿笠博士《あがさはかせ》は知《し》らない間《あいだ》に、灰原《はいばら》の両親《りょうしん》についての情報《じょうほう》を集《あつ》めていてくれたのだ。

(私《わたし》の…お父《とう》さんとお母《かあ》さん…)

亡《な》くなった両親《りょうしん》について何《なに》かわかるかもしれない――と、急《きゅう》に聞《き》かされても、灰原《はいばら》はすぐには実感《じっかん》がわかず、きょとんとした表情《ひょうじょう》を浮《う》かべていた。

実《じつ》は、阿笠博士《あがさはかせ》の家《いえ》は、一人《ひとり》の女性《じょせい》によって盗聴《とうちょう》されていた。

彼女《かのじょ》の名《な》は、クリス・ヴィンヤード。世界的《せかいてき》に有名《ゆうめい》なハリウッド女優《じょゆう》だが、黒《くろ》ずくめの組織《そしき》の一員《いちいん》・ベルモットという裏《うら》の顔《かお》をもつ。

ベルモットは、どこか薄暗《うすぐら》い部屋《へや》の一室《いっしつ》でヘッドフォンを耳《みみ》にかけ、阿笠博士《あがさはかせ》やコナンたちの会話《かいわ》を聞《き》いていた。

――知《し》り合《あ》いの博士《はかせ》に宮野博士《みやのはかせ》の事《こと》をあたってみたら、彼《かれ》には小中高《しょうちゅうこう》と同級生《どうきゅうせい》で、デザイナーをやっておる幼《おさな》なじみがいる事《こと》がわかったんじゃよ!

コナンたちが、灰原《はいばら》の両親《りょうしん》の情報《じょうほう》を集《あつ》めようとしていることを知《し》り、ベルモットはウィスキーグラスを片手《かたて》に一人《ひとり》、ほくそ笑《え》んでいた。


今《いま》すぐにでも、宮野厚司《みやのあつし》の幼《おさな》なじみだというデザイナーに会《あ》いに行《い》きたい——と、灰原《はいばら》が強《つよ》く望《のぞ》んだため、阿笠博士《あがさはかせ》に車《くるま》を出《だ》してもらって、さっそく出《で》かけることになった。

「おいおいおい…何《なに》も今日《きょう》、これから行《い》く事《こと》ねぇだろ？　風邪《かぜ》も完治《かんち》してねーし、奴《やつ》らがどこで目《め》を光《ひか》らせているかもしれねーんだぞ？」

助手席《じょしゅせき》のコナンがあきれた視線《しせん》を向《む》けるが、灰原《はいばら》は後部座席《こうぶざせき》で涼《すず》しい顔《かお》だ。

「あら、本当《ほんとう》に行《い》きたいのはあなたの方《ほう》なんじゃない？」

「そりゃー、奴《やつ》らの事《こと》がわかるかもしれねーんなら、会《あ》ってみたいけど…」

「じゃあ、つべこべ言《い》わないで…」

話《はな》しながら、灰原《はいばら》はコホコホと咳《せき》をしている。コナンの言《い》うとおり、風邪《かぜ》はまだ治《なお》っていないようだ。

「まあ新一君《しんいちくん》、心配《しんぱい》するな！　ワシらはこの通《とお》り無事《ぶじ》じゃ！　奴《やつ》らはまだ何《なに》もつかんでおらんよ…」

「ああ、そうだな……」

阿笠博士《あがさはかせ》の言葉《ことば》にうなずきつつ、コナンは緊迫《きんぱく》して心《こころ》の中《なか》でつけくわえた。

（もしも、オレの推理《すいり》が当《あ》たってたら…。オレ達《たち》はもう、この世《よ》にはいねーはずだからよ…）


阿笠博士《あがさはかせ》の運転《うんてん》でやってきたのは、瓦屋根《かわらやね》の一軒家《いっけんや》だった。五十四歳《ごじゅうよんさい》のデザイナー、出島壮平《でじまそうへい》のデザイン事務所《じむしょ》だ。

突然訪《とつぜんたず》ねてきたコナンたちを、出島《でじま》はにこやかに招《まね》き入《い》れてくれた。

デザイナーたちが働《はたら》くオフィスに通《とお》された阿笠博士《あがさはかせ》は、さっそく宮野厚司《みやのあつし》について出島《でじま》に聞《き》いてみた。

「ええ…確《たし》かに私《わたし》は、宮野厚司君《みやのあつしくん》と幼《おさな》なじみだったが…彼《かれ》とはもう30年《ねん》ぐらい会《あ》ってないよ…。最後《さいご》に彼《かれ》と会《あ》ったのは…彼《かれ》が親《おや》から受《う》け継《つ》いだこの家《いえ》を、私《わたし》が借《か》り受《う》けた時《とき》だったかな……」

「という事《こと》は、この家《いえ》は宮野博士《みやのはかせ》の…？」

阿笠博士《あがさはかせ》の質問《しつもん》に、出島《でじま》は「ええ…」とうなずいた。

「デザイン事務所《じむしょ》を欲《ほ》しがっていた私《わたし》に、自分《じぶん》は家《いえ》を空《あ》けるから、しばらくお前《まえ》に貸《か》してやるって…」

「ホー…」

「それ以来《いらい》、30年間《ねんかん》ずっと借《か》りっ放《ぱな》しだよ…」

灰原《はいばら》は（ここがお父《とう》さんの育《そだ》った家《いえ》……）と感慨深《かんがいぶか》そうに、部屋《へや》の中《なか》を見《み》まわした。

「じゃあその後《あと》、宮野博士《みやのはかせ》はどこに住《す》んでいたの？」

コナンが、大人《おとな》たちの会話《かいわ》に口《くち》をはさむ。

「さぁ…自分《じぶん》の理論《りろん》を認《みと》めてくれたスポンサーの、大《おお》きな研究施設《けんきゅうしせつ》に行《い》くと言《い》っていたが、それがどこにあるかまでは…」

そう言《い》って出島《でじま》は首《くび》をかしげた。

自分《じぶん》の理論《りろん》を認《みと》めてくれたスポンサーとは、おそらく黒《くろ》ずくめの組織《そしき》の事《こと》だろう。コナンが「奴《やつ》らだな…」と小声《こごえ》で言《い》って目《め》くばせをすると、灰原《はいばら》も「ええ…多分《たぶん》…」とうなずいた。

「それで？　その後《あと》、宮野博士《みやのはかせ》から何《なん》の連絡《れんらく》もないんですか？」

「え、ええ…。結婚《けっこん》したっていう葉書《はがき》が一枚来《いちまいき》たぐらいで……」

阿笠博士《あがさはかせ》に聞《き》かれ、出島《でじま》が答《こた》えると、横《よこ》からスタッフの一人《ひとり》が、「ああ…その人《ひと》なら、社長《しゃちょう》の留守中《るすちゅう》に一度《いちど》来《こ》られましたよ…」と声《こえ》をかけてきた。

財津浮彦《ざいつうきひこ》、四十一歳《よんじゅういっさい》。頭《あたま》にバンダナを巻《ま》いた細身《ほそみ》の男《おとこ》で、この出島《でじま》デザイン事務所《じむしょ》で働《はたら》くデザイナーだ。左手《ひだりて》には、飲《の》み物《もの》の入《はい》ったペットボトルを持《も》っている。

「え？」

「ほら、社長《しゃちょう》って昔《むかし》からデザインに詰《つ》まるとよくブラッと外《そと》に出《で》て、しばらく帰《かえ》って来《こ》ないじゃないですか……。丁度《ちょうど》その時《とき》に来《こ》られたんですよ…。外国人《がいこくじん》のきれいな奥《おく》さんと4、5歳《さい》ぐらいのかわいい娘《むすめ》さんを連《つ》れて……。何《なに》か社長《しゃちょう》に大事《だいじ》な話《はなし》があったみたいで、結局《けっきょく》ここに一泊《いっぱく》して帰《かえ》られましたよ…。もしかしたら社長《しゃちょう》が戻《もど》って来《く》るかもしれないって…。言《い》ってませんでした？」

軽《かる》い調子《ちょうし》で言《い》われ、出島《でじま》は「聞《き》いてないよ!!」と声《こえ》を荒《あら》らげた。

「確《たし》か奥《おく》さんの名前《なまえ》はエレーナで、娘《むすめ》さんは明美《あけみ》ちゃんだったかな…」

財津《ざいつ》が言《い》っているのは、灰原《はいばら》の母親《ははおや》の宮野《みやの》エレーナと、姉《あね》の宮野明美《みやのあけみ》のことだろう。

二人《ふたり》とも、そろってこの家《いえ》に来《き》たことがあったのだ。

灰原《はいばら》は（お姉《ねえ》ちゃん…）と姉《あね》のことをなつかしく思《おも》い出《だ》した。

「変《か》わった親子《おやこ》でしたよねぇ…」

と、財津《ざいつ》が、デスクに座《すわ》っていた今井徹夫《いまいてつお》に声《こえ》をかける。

今井《いまい》は、財津《ざいつ》と同《おな》じくここで働《はたら》くデザイナーで、五十二歳《ごじゅうにさい》の髪《かみ》の薄《うす》い老《ふ》け顔《がお》の男《おとこ》だ。

「ああ…。特《とく》に娘《むすめ》さんのイタズラには手《て》を焼《や》いたよ…。あの子《こ》、僕達《ぼくたち》が使《つか》う道具《どうぐ》を至《いた》る所《ところ》に隠《かく》してねぇ…僕達《ぼくたち》が困《こま》ってるのを見《み》て、はしゃいでたから…。奥《おく》さんは奥《おく》さんで、ずーっと黙《だま》ってるから言葉《ことば》が通《つう》じないのかと思《おも》ったら、娘《むすめ》さんと日本語《にほんご》で話《はな》していたし…旦那《だんな》は絶《た》えず窓《まど》の外《そと》を気《き》にしていたし…」

当時《とうじ》のことを思《おも》い出《だ》しながら語《かた》ると、今井《いまい》はふと財津《ざいつ》の方《ほう》へ顔《かお》を向《む》けた。

「そーいえばあの時《とき》、この家《いえ》の前《まえ》にずっと車《くるま》が停《と》まってたな…」

「ああ…スモークガラスの黒《くろ》い車《くるま》…」

それを聞《き》いたコナンは、(監視付《かんしつ》き…)とすぐにピンときた。宮野厚司《みやのあつし》とその家族《かぞく》は、当時《とうじ》からすでに黒《くろ》ずくめの組織《そしき》によって、動向《どうこう》を監視《かんし》されていたのだ。

「おいおい、そりゃーいったい、いつの話《はなし》だ？」

出島《でじま》がげんなりした顔《かお》で財津《ざいつ》に聞《き》いた。

「あれは丁度《ちょうど》、古《ふる》くなったこの家《いえ》を事務所用《じむしょよう》にリフォームした直後《ちょくご》だったから…もう20年《ねん》ぐらい前《まえ》ですかねぇ…」

「その時《とき》、宮野博士《みやのはかせ》があなた方《がた》に何《なに》か言《い》い残《のこ》したりは…？」

阿笠博士《あがさはかせ》の質問《しつもん》に、財津《ざいつ》も今井《いまい》も「いや…」「特《とく》には何《なに》も…」と首《くび》を振《ふ》った。

出島《でじま》は、財津《ざいつ》や今井《いまい》を質問攻《しつもんぜ》めにする阿笠博士《あがさはかせ》のことを不審《ふしん》そうに見《み》つめていたが、やがてじとっと目《め》を細《ほそ》めて、

「ところであなた達《たち》、宮野君《みやのくん》とどういう関係《かんけい》だね？」

と、うさんくさそうに聞《き》いた。

「あ、いや、博士仲間《はかせなかま》というか…」

「この年《とし》でやっと結婚《けっこん》する事《こと》になって、式《しき》に呼《よ》ぼうと思《おも》ったんだけど住所《じゅうしょ》がわからないから聞《き》きに来《き》たんだよ！　ねぇ！」

言葉《ことば》に詰《つ》まる阿笠博士《あがさはかせ》に、コナンが助《たす》け舟《ぶね》を出《だ》す。

阿笠博士《あがさはかせ》は「あ、ああ…」と、あたふたしながらうなずいた。

その時《とき》、トイレの方《ほう》からジャーッと水《みず》を流《なが》す音《おと》がして、ドアが開《ひら》き、ヒゲの男《おとこ》が顔《かお》を出《だ》した。三十五歳《さんじゅうごさい》の夏堀勇《なつぼりいさむ》だ。彼《かれ》もデザイナーだが、二十年前《にじゅうねんまえ》にはまだこの事務所《じむしょ》にいなかったため、宮野厚司《みやのあつし》やエレーナや明美《あけみ》には会《あ》っていない。

「そろそろ昼飯《ひるめし》買《か》いに行《い》きますけど、希望《きぼう》あるっスか？」

「じゃあ、ハンバーガーを頼《たの》むよ！」

「いつものテリヤキとフィッシュとポテトM《エム》とコーンスープでいいんスね…」

出島《でじま》のリクエストを、夏堀《なつぼり》が確認《かくにん》する。出島《でじま》はどうやら、いつも同《おな》じメニューを頼《たの》むようだ。

「他《ほか》は？」

夏堀《なつぼり》が聞《き》き、今井《いまい》が「じゃあ僕《ぼく》も社長《しゃちょう》と一緒《いっしょ》で…」と答《こた》える。

「俺《おれ》はそれプラスアップルパイとコーラのL二《エルふた》つ！」

威勢《いせい》よく言《い》う財津《ざいつ》に、夏堀《なつぼり》は「――ったく…」とあきれまじりの視線《しせん》を送《おく》った。

「いつもそんなに飲《の》んでるから、トイレが近《ちか》いんスよ…」

「悪《わる》かったな、ガキっぽくて…」

コナンたちがこの事務所《じむしょ》に来《き》た時《とき》からずっと、財津《ざいつ》は左手《ひだりて》にペットボトルの飲《の》み物《もの》を持《も》っていた。どうやらいつも飲《の》み物《もの》が手放《てばな》せないタイプらしい。

「あ、今井君《いまいくん》、コーヒーを頼《たの》むよ！　お客《きゃく》さんの分《ぶん》も…」

席《せき》を立《た》った今井《いまい》に、出島《でじま》が頼《たの》む。

「トイレの後《あと》でもいいですか？」

「構《かま》わんが、ちゃんと手《て》を洗《あら》ってくれよ！」

冗談《じょうだん》まじりに言《い》われ、今井《いまい》は「はいはい！」と返事《へんじ》をしながらトイレの中《なか》に入《はい》っていく。

出島《でじま》は、あらためて阿笠博士《あがさはかせ》の方《ほう》へと向《む》き直《なお》った。

「まぁ、そんなわけで私《わたし》も知《し》らないんだ、宮野君《みやのくん》の住所《じゅうしょ》は…。悪《わる》いが仕事《しごと》があるんでコーヒーを飲《の》んだら…」

帰《かえ》ってくれ、と言外《げんがい》に言《い》われ、阿笠博士《あがさはかせ》は「あ、はい…」とたじたじになってうなずいた。

宮野厚司《みやのあつし》がこの家《いえ》に来《き》たことはまちがいないようだが、二十年前《にじゅうねんまえ》では手《て》がかりが残《のこ》っているとも思《おも》えない。せっかく来《き》たが、無駄足《むだあし》だったか——と、コナンたちががっかりした表情《ひょうじょう》を浮《う》かべかけた時《とき》、

「明美《あけみ》ちゃんならこの前《まえ》ブラっと来《き》たけどなあ…」

と、財津《ざいつ》がペットボトルの飲料《いんりょう》を飲《の》みながら、なにげなく言《い》った。

灰原《はいばら》も、そしてコナンも驚《おどろ》いて、財津《ざいつ》の方《ほう》を振《ふ》り返《かえ》った。

(え？　お姉《ねえ》ちゃんが⁉)

「ホラ、いたでしょ？　トイレを借《か》りに来《き》たかわいい子《こ》！　お久《ひさ》し振《ぶ》りですねって言《い》われて、俺達《おれたち》ビックリしてたんですから…」

財津《ざいつ》の言葉《ことば》に、出島《でじま》は「あの子《こ》が、宮野君《みやのくん》の娘《むすめ》だったとは……」と目《め》をパチクリさせた。

その時《とき》、ジャーッと水《みず》を流《なが》しながら、今井《いまい》がトイレから出《で》てきた。

財津《ざいつ》は、今井《いまい》と入《い》れちがいにトイレの中《なか》に入《はい》っていこうとしながら、「あれ？　言《い》いま

せんでした？」と悪《わる》びれずに肩《かた》をすくめた。

「だから聞《き》いてないって！」

「それで？　その女《おんな》の人《ひと》、ホントにトイレを借《か》りに来《き》ただけ？」

コナンがせわしなく出島《でじま》に聞《き》く。

「あ、ああ…でも妙《みょう》な事言《ことい》ってたなァ…。トイレを借《か》りた事《こと》、恥《は》ずかしいから誰《だれ》にも言《い》わないでくれって…。いったい誰《だれ》に内緒《ないしょ》なんだか…」

誰《だれ》にも言《い》うな、とわざわざ口止《くちど》めしたということは、何《なに》か人《ひと》に知《し》られたくない事情《じじょう》があるということだ。もしかしたら宮野明美《みやのあけみ》は、トイレの中《なか》に何《なに》かを隠《かく》したのかもしれない。

コナンと灰原《はいばら》は、同時《どうじ》にダッと走《はし》りだし、トイレのドアノブをガチャガチャとひねった。

しかし、トイレは今《いま》、財津《ざいつ》が使用中《しようちゅう》だ。

「お、おい、待《ま》て…」

財津《ざいつ》はあわてて用《よう》を済《す》まし、ジャーッと水《みず》を流《なが》すと、「ホラよ…」とドアを開《あ》けた。

コナンと灰原《はいばら》が、二人《ふたり》そろってトイレの中《なか》にすべりこむ。

「え？　二人《ふたり》で？」

財津《ざいつ》は戸惑《とまど》った声《こえ》をあげるが、コナンはかまわずバタンとドアを閉《し》めた。

「間違《まちが》いないわね…。お姉《ねえ》ちゃんは何《なに》かを隠《かく》した…」

「ああ…。このトイレの中《なか》のどこかにな…」

二人《ふたり》は、狭《せま》いトイレの中《なか》を調《しら》べ始《はじ》めた。

一見《いっけん》したかぎりは、特《とく》に変《か》わった箇所《かしょ》のない、ごく普通《ふつう》のタンクつき洋式便座《ようしきべんざ》だ。タンク上部《じょうぶ》が手洗《てあら》い場《ば》になっていて、予備《よび》のトイレットペーパーが棚《たな》の上《うえ》に二《ふた》つ並《なら》べて置《お》いてある。壁《かべ》には【節水《せっすい》】の張《は》り紙《がみ》がされていた。

「でもこんな狭《せま》いトイレの中《なか》に隠《かく》しても、もう誰《だれ》かに見《み》つけられているんじゃ…」

「ああ…その可能性《かのうせい》は高《たか》いけど……ひょっとしたら、何《なに》かが出《で》て来《く》るかもしれねーぜ……」

冷静《れいせい》に言《い》いながらも、コナンは期待《きたい》に高鳴《たかな》る胸《むね》をおさえきれず、(奴《やつ》らの手掛《てが》かりになる……何《なに》かが…)と心《こころ》の中《なか》でつけくわえた。

ドンドン!

ドアが乱暴《らんぼう》にノックされ、「おい、早《はや》くしてくれ!!」と切羽詰《せっぱつ》まった声《こえ》がする。

「え？」と振《ふ》り返《かえ》ってコナンがドアを開《あ》けると、出島《でじま》がトイレの順番待《じゅんばんま》ちをしていた。トイレを使《つか》いたかったのに、コナンと灰原《はいばら》がいつまでたっても出《で》てこないので、しびれを切《き》らしたらしい。

「また後《あと》で探《さが》すか…」

「ええ…」

二人《ふたり》は仕方《しかた》なく、トイレ内《ない》の捜索《そうさく》を中断《ちゅうだん》した。


「ヘイ、お待《ま》ち！」

ほどなくして、夏堀《なつぼり》が、出島《でじま》たちに頼《たの》まれたハンバーガーのランチセットを持《も》って帰《かえ》ってきた。出島《でじま》と今井《いまい》はテリヤキバーガーとフィッシュバーガー、ポテトのM《エム》とコーンスープ。財津《ざいつ》はそれにアップルパイとコーラのL《エル》を二《ふた》つ。

出島《でじま》は、コナンと灰原《はいばら》と入《い》れちがいにトイレに入《はい》ってから、まだ出《で》てきていない。

財津《ざいつ》と今井《いまい》は、テーブルに並《なら》んだ商品《しょうひん》の中《なか》から、それぞれ自分《じぶん》の注文《ちゅうもん》したものを手《て》にとって食《た》べ始《はじ》めた。

「よかったらボウズ達《たち》も食《た》べるか？」

夏堀《なつぼり》に聞《き》かれ、コナンは「あ、いいよ別《べつ》に…」と遠慮《えんりょ》した。今《いま》は、宮野明美《みやのあけみ》がトイレの中《なか》に隠《かく》したものが気《き》になって、食事《しょくじ》どころではない。コナンは、食事中《しょくじちゅう》のデザイナーたちに、宮野明美《みやのあけみ》が来《き》た時《とき》のことについて聞《き》いてみることにした。

「ねぇ、その女《おんな》の人《ひと》が来《き》た後《あと》、何《なに》か変《か》わった事《こと》なかった？」

「ああ…空《あ》き巣《す》に入《はい》られたよ…」と、財津《ざいつ》。

「それも二回《にかい》もな…」と、今井《いまい》。

「空《あ》き巣《す》？」

コナンが聞《き》き返《かえ》すと、やっとトイレから出《で》てきた出島《でじま》が「何《なに》も盗《と》られちゃいなかったがな…」と答《こた》えた。

「大丈夫《だいじょうぶ》ですか？　腹《はら》の具合《ぐあい》…」

財津《ざいつ》が心配《しんぱい》そうに聞《き》く。

「ああ、何《なん》とか治《おさ》まったよ…。それより問題《もんだい》なのはあっちの方《ほう》だよ…」

そう答《こた》えると、出島《でじま》はテーブルの上《うえ》のテリヤキバーガーに手《て》を伸《の》ばした。

「え？」

「…あの女性《じょせい》が来《き》た後《あと》…なぜか奇妙《きみょう》な事《こと》に…」

ゆっくりと話《はな》しながら、出島《でじま》は包《つつ》み紙《がみ》の中《なか》からテリヤキバーガーをとりだし、素手《すで》で持《も》って食《た》べ始《はじ》めた。

「奇妙《きみょう》な事《こと》に…？」

宮野明美《みやのあけみ》が来《き》たあとに、どんな奇妙《きみょう》なことがあったというのだろう。

コナンと灰原《はいばら》は固唾《かたず》を飲《の》んで、出島《でじま》の言葉《ことば》の先《さき》を待《ま》った。

次《つぎ》の瞬間《しゅんかん》、出島《でじま》の手《て》から、ぽろりとテリヤキバーガーが落《お》ちる。

（え？）

驚《おどろ》くコナンの目《め》の前《まえ》で、出島《でじま》は「ぐっ」とうなって、苦《くる》しそうに喉《のど》をおさえた。そして、

「ぐあああ！」と悲鳴《ひめい》をあげ、そのまま後《うし》ろ向《む》きに倒《たお》れてしまう。

「しゃ…社長《しゃちょう》!?」

デザイナーたちが驚《おどろ》いて駆《か》け寄《よ》るが、出島《でじま》はすでに絶命《ぜつめい》していた。

出島《でじま》が突然倒《とつぜんたお》れたという通報《つうほう》を受《う》け、現場《げんば》にやって来《き》たのは、警視庁《けいしちょう》の目暮警部《めぐれけいぶ》と、部《ぶ》下《か》の高木渉刑事《たかぎわたるけいじ》だ。

警察《けいさつ》が調《しら》べたところ、出島《でじま》の体内《たいない》からは青酸《せいさん》カリが検出《けんしゅつ》された。

「青酸《せいさん》カリ…毒殺《どくさつ》か…」

目暮警部《めぐれけいぶ》はかがみこみ、出島《でじま》の遺体《いたい》をのぞきこんだ。

「ええ…。亡《な》くなったのは出島壮平《でじまそうへい》さん、54歳《さい》…。このデザイン事務所《じむしょ》の社長《しゃちょう》で…昼食《ちゅうしょく》のハンバーガーをあの三人《さんにん》の社員《しゃいん》の皆《みな》さんと食《た》べている最中《さいちゅう》に…突然苦《とつぜんくる》しみ出《だ》して倒《たお》れたそうです…」

そう報告《ほうこく》すると、高木刑事《たかぎけいじ》は、部屋《へや》の外《そと》で固《かた》まっている財津《ざいつ》、今井《いまい》、夏堀《なつぼり》の方《ほう》を目《め》で示《しめ》した。

「で？　そのハンバーガーを買《か》って来《き》たのは？」

目暮警部《めぐれけいぶ》の質問《しつもん》に、「あ、僕《ぼく》っス…」と夏堀《なつぼり》が名乗《なの》りでる。

「だったら、毒《どく》を仕込《しこ》めるチャンスが一番《いちばん》あったのは、あなたというわけですな？」

「ちょ、ちょっと待《ま》ってくださいよ!! 社長《しゃちょう》は自分《じぶん》でハンバーガーを取《と》ったんっスよ？ しかも、手《て》にしたのはみんなも注文《ちゅうもん》してたテリヤキバーガー！ 社長《しゃちょう》がどれを取《と》るかわからないのに、毒《どく》なんて塗《ぬ》れないっスよ!!」

夏堀《なつぼり》があわてて弁解《べんかい》し、目暮警部《めぐれけいぶ》は「そうなんですか？」と今井《いまい》の方《ほう》へ視線《しせん》を向《む》けた。

「え、ええ…」

と、今井《いまい》がうなずく。

「もしかしたら、出島社長《でじましゃちょう》がいつも使《つか》っていた道具《どうぐ》に、毒《どく》を塗《ぬ》っていたかもしれませんね？」

高木刑事《たかぎけいじ》が壁《かべ》ぎわのデスクを見《み》ながら言《い》い、目暮警部《めぐれけいぶ》は「社長《しゃちょう》さんの席《せき》は？」と聞《き》いた。

「こ、ここっス……」

夏堀《なつぼり》が、おずおずと、部屋《へや》の中央《ちゅうおう》にある大《おお》きなデスクを指《ゆび》さす。

「その隣《となり》の席《せき》は？」

「わ、私《わたし》の席《せき》ですけど…」と、今井《いまい》。

「じゃあ、社長《しゃちょう》さんの目《め》を盗《ぬす》んで一番毒《いちばんどく》を仕込《しこ》みやすかったのは…」

目暮警部《めぐれけいぶ》に厳《きび》しい視線《しせん》を向《む》けられ、今井《いまい》は「た、確《たし》かに私《わたし》かもしれませんけど…」と目《め》を泳《およ》がせながらも言《い》い返《かえ》した。

「社長《しゃちょう》はハンバーガーを食《た》べる前《まえ》に、クッキーをつまんでましたよ…。ホラ、机《つくえ》の上《うえ》のコーヒーカップのそばに、空《から》になったクッキーの袋《ふくろ》があるでしょ？　あれ、私《わたし》が台所《だいどころ》から持《も》って来《き》たんですよ…。社長《しゃちょう》に頼《たの》まれて、みんなのコーヒーを持《も》って来《く》るついでに…」

「なるほど…。社長《しゃちょう》の道具《どうぐ》に毒《どく》がついていたのなら、クッキーを食《た》べた時《とき》にもう死《し》んでいるというわけですね…」

今井《いまい》の言《い》い分《ぶん》にひとまず納得《なっとく》しつつ、目暮警部《めぐれけいぶ》は出島《でじま》のデスクを観察《かんさつ》した。すると、パソコンの隣《となり》に、マグカップやクッキーの袋《ふくろ》にまじって薬《くすり》の容器《ようき》のようなものが置《お》かれている。

「ん？　何《なん》だね、この薬《くすり》は？」

「ああ、それ下剤《げざい》っス…。社長《しゃちょう》…痔《じ》がひどくて、しょっちゅう飲《の》んでたっス…」

夏堀《なつぼり》の言葉《ことば》のあと、今井《いまい》が「つまりその…やわらかいヤツを出《だ》すために…」と、遠回《とおまわ》しに続《つづ》けた。

「ホー…」

目暮警部《めぐれけいぶ》がうなずく。

痔《じ》とは、肛門《こうもん》の周辺《しゅうへん》が切《き》れたりイボができたりしてしまう病気《びょうき》の総称《そうしょう》。便《べん》が硬《かた》いと痔《じ》の症状《しょうじょう》がますます悪化《あっか》してしまうため、やわらかい便《べん》を出《だ》すために、出島《でじま》は下剤《げざい》を飲《の》んでいたのだ。

「でもたまに、飲《の》み過《す》ぎておなか壊《こわ》していたよなぁ…」

今井《いまい》の言葉《ことば》に、夏堀《なつぼり》が「ええ…最近《さいきん》はよく…」とうなずく。

「そういえば、ハンバーガーを食《た》べる前《まえ》もそうだった…。急《きゅう》におなかをおさえてトイレに…」

今井《いまい》がふと思《おも》い出《だ》したように言《い》い、目暮警部《めぐれけいぶ》は「トイレ？」と聞《き》き返《かえ》した。

「社長《しゃちょう》さんの前《まえ》に、誰《だれ》かトイレに入《はい》らなかったのかね？」

「え、ええ…僕《ぼく》、入《はい》ったっスよ…。ハンバーガーを買《か》いに行《い》く前《まえ》に……」と、夏堀《なつぼり》。

「その後私《あとわたし》が入《はい》って…。私《わたし》と入《い》れ違《ちが》いに…財津君《ざいつくん》が…」と、今井《いまい》。

「そしてその後《あと》、社長《しゃちょう》さんが入《はい》り、トイレから出《で》てハンバーガーを食《た》べたんですね…」

目暮警部《めぐれけいぶ》の確認《かくにん》に、今井《いまい》が「あ、はい…」とうなずく。

すると目暮警部《めぐれけいぶ》は、怪《あや》しむような顔《かお》になって、ずいっと財津《ざいつ》の方《ほう》へ顔《かお》を近《ちか》づけた。

「つまり、あなたがトイレのどこかに毒《どく》を仕掛《しか》けていたのなら…」

「じょ、冗談《じょうだん》じゃねーよ！　俺《おれ》が社長《しゃちょう》の前《まえ》にトイレに入《はい》ったのはホントだけど…社長《しゃちょう》が入《はい》る直前《ちょくぜん》じゃねーぜ…」

財津《ざいつ》があわてて言《い》うと、目暮警部《めぐれけいぶ》は「ん？」と首《くび》をひねった。

「だってよー、俺《おれ》と社長《しゃちょう》の間《あいだ》に…この子《こ》らが入《はい》ったんだから…」

早口《はやくち》に言《い》って、財津《ざいつ》は部屋《へや》の外《そと》にいたコナンと灰原《はいばら》の方《ほう》を振《ふ》り返《かえ》った。

「コ、コナン君《くん》じゃないか!?　それに、哀《あい》ちゃんと阿笠博士《あがさはかせ》も…何《なん》でまた？」

高木刑事《たかぎけいじ》が目《め》を丸《まる》くして言《い》う。

コナンも阿笠博士《あがさはかせ》も灰原《はいばら》も、しょっちゅう殺人現場《さつじんげんば》に居合《いあ》わせるので、目暮警部《めぐれけいぶ》や高木《たかぎ》刑事《けいじ》とは、すでに面識《めんしき》があった。

「あ、いや…。出島《でじま》さんに用《よう》があって来《き》てみたら…たまたまこんな事《こと》に……」

阿笠博士《あがさはかせ》が苦笑《にがわら》いで説明《せつめい》すると、高木刑事《たかぎけいじ》は「し、しかし、よく事件《じけん》に巻《ま》き込《こ》まれる方《かた》ですね…」と乾《かわ》いた笑《わら》いを浮《う》かべた。

「だんだん、あなたが毛利君《もうりくん》に見《み》えてきましたよ…」

目暮警部《めぐれけいぶ》が皮肉《ひにく》っぽく言《い》う。

毛利小五郎《もうりこごろう》は、目暮警部《めぐれけいぶ》から『死神《しにがみ》』と呼《よ》ばれるほど頻繁《ひんぱん》に、殺人事件《さつじんじけん》に巻《ま》き込《こ》まれているのだ。

阿笠博士《あがさはかせ》は「ハハハ…」と笑《わら》ってごまかした。阿笠博士《あがさはかせ》だって、好《す》きで巻《ま》き込《こ》まれているわけではない。

「それで？ どっちが先《さき》に入《はい》ったんだい？」

高木刑事《たかぎけいじ》はかがみこみ、子供《こども》のコナンと灰原《はいばら》と目線《めせん》を合《あ》わせながら、先《さき》を促《うなが》した。

「同時《どうじ》によ…」

灰原《はいばら》が答《こた》え、高木刑事《たかぎけいじ》が「え？ 二人《ふたり》でトイレに？」と驚《おどろ》いた表情《ひょうじょう》を浮《う》かべる。

いくら子供《こども》でも、二人《ふたり》でトイレの個室《こしつ》に入《はい》るなんて少《すこ》し不自然《ふしぜん》だ。

「あ、だから…小銭《こぜに》をどこかに落《お》としちゃって…。もしかしたら、トイレのドアのスキ間《ま》から中《なか》に入《はい》っちゃったかなーって思《おも》って…二人《ふたり》で探《さが》してたんだよね？」

コナンがあわててウソの理由《りゆう》を説明《せつめい》すると、灰原《はいばら》も「ええ…」とうなずいて話《はなし》を合《あ》わせ(お姉《ねえ》ちゃんが組織《そしき》の目《め》を盗《ぬす》んで隠《かく》した…何《なに》かをね…)と、心《こころ》の中《なか》でつけくわえた。

宮野明美《みやのあけみ》が隠《かく》した何《なに》かは、きっと今《いま》もまだあのトイレの中《なか》にあるはず。それを調《しら》べるためには、まずこの殺人事件《さつじんじけん》を解決《かいけつ》しなければならない。

「ウーム…。となると、毒《どく》はいったいどこに…」

「じゃあ、この仕事場《しごとば》からあのトイレまでの間《あいだ》を調《しら》べてみれば？　この社長《しゃちょう》さん、クッキー食《た》べた後《あと》トイレに行《い》って、ここに戻《もど》って来《き》て、ハンバーガー食《た》べて倒《たお》れたんでしょ？だったら、まだどこかに毒《どく》が残《のこ》ってるかもしれないよ！　社長《しゃちょう》さんが倒《たお》れて目暮警部《めぐれけいぶ》がここに来《く》るまで、誰《だれ》もこの仕事場《しごとば》から出《で》なかったし…。何《なに》かを捨《す》てたり、ふき取《と》ったりしてなかったから……」

コナンがさりげなく促《うなが》すと、目暮警部《めぐれけいぶ》は「そうだな…」とあっさりうなずいた。

「とにかく毒物反応《どくぶつはんのう》が出《で》るかどうか調《しら》べてみるか…」

「ええ…全員《ぜんいん》の身体検査《しんたいけんさ》も兼《か》ねて…」

そう言《い》うと、高木刑事《たかぎけいじ》は容疑者《ようぎしゃ》となった三人《さんにん》のデザイナーたちをじろりと眺《なが》めまわした。

警察《けいさつ》はさっそく、仕事場《しごとば》からトイレまでの間《あいだ》で、出島《でじま》が触《さわ》りそうな場所《ばしょ》をくまなく調《しら》べてまわった。ところが――。

「なに!? どこからも毒物反応《どくぶつはんのう》が出《で》ない!?」

高木刑事《たかぎけいじ》の報告《ほうこく》を聞《き》き、目暮警部《めぐれけいぶ》は驚《おどろ》いて叫《さけ》んだ。

「ええ…。トイレ、廊下《ろうか》、仕事場《しごとば》、被害者《ひがいしゃ》が触《さわ》りそうな場所《ばしょ》からは何《なに》も……。妙《みょう》なのは、被害者《ひがいしゃ》のズボンの右側《みぎがわ》と、ベルトの穴《あな》が空《あ》いている部分《ぶぶん》からは毒物反応《どくぶつはんのう》が出《で》たんです……。それと、被害者《ひがいしゃ》の左手《ひだりて》の指先《ゆびさき》とハンカチ、食《た》べたハンバーガーの包《つつ》み紙《がみ》からも……。でも、いずれも少量《しょうりょう》で、恐《おそ》らく被害者《ひがいしゃ》が毒《どく》の付《つ》いた手《て》で触《さわ》ったんじゃないかと…」

「しかし、どうして左手《ひだりて》だけに毒《どく》が…」

目暮警部《めぐれけいぶ》はしばし考《かんが》えこむと、「そうか!」と思《おも》いついた。

「コーヒーカップの取《と》っ手《て》だ!! そこに毒《どく》を塗《ぬ》っておけば、クッキーを右手《みぎて》でつまんでコーヒーを飲《の》む時《とき》に、左手《ひだりて》に毒《どく》が付着《ふちゃく》する! そうすれば、その後《あと》トイレに行《い》っても、扉《とびら》の開《あ》け閉《し》めは右手《みぎて》だから、トイレ内《ない》には毒《どく》は残《のこ》らないというわけだ！　つまり犯人《はんにん》はコーヒーを持《も》って来《き》た今井《いまい》さん、あなただと…」

今井《いまい》が犯人《はんにん》だと結論《けつろん》づけようとする目暮警部《めぐれけいぶ》に、高木刑事《たかぎけいじ》が「あ、いえ…」と反論《はんろん》を入《い》れた。

「もちろん、コーヒーカップの取《と》っ手《て》やクッキーの袋《ふくろ》も調《しら》べましたが、毒物反応《どくぶつはんのう》は出《で》ませんでした…」

「あ、そう…」

目暮警部《めぐれけいぶ》が気《き》の抜《ぬ》けた顔《かお》になる。

「それに、トイレの水《みず》を流《なが》すレバーは左側《ひだりがわ》にありましたし……。トイレに入《はい》る前《まえ》に左手《ひだりて》に毒《どく》が付《つ》いていたのなら、ズボンを上《あ》げ下《お》ろしする時《とき》、毒《どく》は左側《ひだりがわ》に付《つ》くと思《おも》いますけど…」

「じゃあ何《なん》でズボンの右側《みぎがわ》に毒《どく》が…」

目暮警部《めぐれけいぶ》が不可解《ふかかい》そうに言《い》い、高木刑事《たかぎけいじ》が「さぁ…」と首《くび》をひねる。

毒《どく》のついた左手《ひだりて》でズボンの右側《みぎがわ》に触《さわ》るためには、身体《からだ》の前《まえ》でクロスするようにグッと腕《うで》を伸《の》ばさなければならない。わざわざそんな体勢《たいせい》をとる理由《りゆう》は思《おも》いつかなかった。

「ねえ、社長《しゃちょう》さんってなんか癖《くせ》とかなかった？　左利《ひだりき》きだったとか…」

二人《ふたり》の会話《かいわ》を聞《き》いていたコナンが、ふと思《おも》いついたように聞《き》く。

「ウーン、特徴《とくちょう》といえばきれい好《ず》きで、コーヒー通《つう》だったって事《こと》ぐらいかな……」

財津《ざいつ》が言《い》い、コナンは「きれい好《ず》きでコーヒー通《つう》？」とすぐさま聞《き》き返《かえ》した。

「机《つくえ》に向《む》かうと、まずウエットティッシュで手《て》を拭《ふ》いていたし…」と、夏堀《なつぼり》。

「社長好《しゃちょうごの》みのコーヒーをいれられるようになるまで、10年《ねん》はかかったよ…」と、今井《いまい》。

「それと、この家《いえ》を見張《みは》ってる怪《あや》しい人《ひと》とか見《み》なかった？」

灰原《はいばら》が質問《しつもん》を重《かさ》ねると、夏堀《なつぼり》が「いや…」と首《くび》を振《ふ》った。

「二回空《にかいあ》き巣《す》に入《はい》られたけど…それ以外《いがい》は別《べつ》に……」

「空《あ》き巣《す》？」

横《よこ》で聞《き》いていた目暮警部《めぐれけいぶ》が、驚《おどろ》いて聞《き》く。

「ええ…窓《まど》の鍵《かぎ》をこじ開《あ》けられて…」

夏堀《なつぼり》が、空《あ》き巣《す》に入《はい》られた時《とき》の状況《じょうきょう》を、目暮警部《めぐれけいぶ》に説明《せつめい》し始《はじ》める。

そのスキに、阿笠博士《あがさはかせ》は声《こえ》をひそめて「あ、哀君《あいくん》、まさかこの犯行《はんこう》…」と灰原《はいばら》に聞《き》いた。

「ええ…。証拠《しょうこ》を残《のこ》さず目的《もくてき》の人物《じんぶつ》を抹殺《まっさつ》し、霧《きり》のようにその姿《すがた》を晦《くら》ます……。彼《かれ》らのやり方《かた》に似《に》てるわね…」

灰原《はいばら》は表情《ひょうじょう》を険《けわ》しくした。頭《あたま》に思《おも》い浮《う》かぶのは、ジンとウォッカの顔《かお》だ。

「お姉《ねえ》ちゃんがこの家《いえ》に来《き》た後《あと》で入《はい》った空《あ》き巣《す》は、恐《おそ》らく彼《かれ》ら…」

灰原《はいばら》の言葉《ことば》を受《う》けて、コナンは硬《かた》い表情《ひょうじょう》で口《くち》を開《ひら》いた。

「ああ…彼女《かのじょ》がこの家《いえ》のどこかに何《なに》かを隠《かく》したんじゃないかと踏《ふ》んで、探《さが》しに来《き》たんだ…。トイレの中《なか》にも盗聴器《とうちょうき》を仕掛《しか》けた痕跡《こんせき》が残《のこ》っていたからな……。多分《たぶん》、一回目《いっかいめ》に探《さが》しに来《き》た時《とき》には見《み》つからず、一応盗聴器《いちおうとうちょうき》は仕掛《しか》けたが、この仕事場《しごとば》の人達《ひとたち》の会話《かいわ》から隠《かく》された物《もの》はないと判断《はんだん》して、二回目《にかいめ》に忍《しの》び込《こ》んだ時《とき》に盗聴器《とうちょうき》を回収《かいしゅう》したってところかな？」

そう言《い》うと、コナンは表情《ひょうじょう》をゆるめ「でも今回《こんかい》の殺人《さつじん》は違《ちが》うんじゃねーか？」と口調《くちょう》を軽《かる》くして灰原《はいばら》に言《い》った。

「いくら出島社長《でじましゃちょう》が、組織《そしき》の一員《いちいん》だったオメーの父《とう》さんの友人《ゆうじん》だからって、30年《ねん》も会《あ》ってねーのに…」

「目的《もくてき》は私《わたし》……。私《わたし》がここへ来《く》ると予測《よそく》して父《ちち》の友人《ゆうじん》を殺《ころ》し、精神的《せいしんてき》に追《お》い詰《つ》めるつもりだったとしたら…どう？」

「バカ言ってんじゃねーよ！　何《なん》で奴《やつ》らにそんな事《こと》が…」

「感《かん》じたのよ…。杯戸町《はいどちょう》のデパートに行《い》ったあの日《ひ》…薄《うす》れていく意識《いしき》の中《なか》で…私《わたし》を蔑《さげす》むような冷徹《れいてつ》な視線《しせん》を…」

灰原《はいばら》が感《かん》じた冷徹《れいてつ》な視線《しせん》は、組織《そしき》にいたことのある人間《にんげん》だけがもつ『におい』をまとっていた。デパートで事件《じけん》に巻《ま》き込《こ》まれた日《ひ》、黒《くろ》ずくめの組織《そしき》の人間《にんげん》は、灰原《はいばら》のすぐ近《ちか》くにいたのだ。

「な、何《なん》だと⁉　じゃあ何《なん》でここへ来《き》たんだよ⁉　外《そと》に出《で》ると危険《きけん》だとわかっててどうして⁉」

コナンに迫《せま》られ、灰原《はいばら》は自嘲《じちょう》するように軽《かる》く笑《わら》ってうつむいた。

「知《し》りたくなった…じゃダメかしら？　私《わたし》の両親《りょうしん》が本当《ほんとう》に組織《そしき》で噂《うわさ》されていたような人物《じんぶつ》かどうかを…。あの明《あか》るい、あなたのお母《かあ》さんに会《あ》ったら無性《むしょう》にね…」

デパートで事件《じけん》に巻《ま》き込《こ》まれるより少《すこ》し前《まえ》、灰原《はいばら》は工藤新一《くどうしんいち》の母親《ははおや》である工藤有希子《くどうゆきこ》に会《あ》ったことがあった。元有名女優《もとゆうめいじょゆう》で底抜《そこぬ》けに明《あか》るい有希子《ゆきこ》を前《まえ》にして、灰原《はいばら》は無性《むしょう》に、自《じ》分《ぶん》の母親《ははおや》がどんな人物《じんぶつ》だったか知《し》りたくなってしまったのだ。

「でも、どうやら噂通《うわさどお》り…マッドサイエンティストの父《ちち》はともかく……母《はは》は無口《むくち》で陰気《いんき》で何《なに》を考《かんが》えているかわからない人《ひと》だったみたいね…」

確《たし》かに財津《ざいつ》も、宮野《みやの》エレーナは日本語《にほんご》がわからないのかと思《おも》うほど無口《むくち》だったと証言《しょうげん》していた。しかしそれは、宮野《みやの》エレーナのことをよく知《し》らない第三者《だいさんしゃ》が口《くち》にしていた、不確《ふたし》かな情報《じょうほう》にすぎない。

「バーロ…ただの噂《うわさ》だろ？　勝手《かって》に決《き》めつけてんじゃ…」

言《い》いかけたコナンを、灰原《はいばら》は「知《し》ってる？　私《わたし》の母《はは》が組織《そしき》で何《なん》て呼《よ》ばれてたか…」とさえぎった。

「ヘルエンジェル…地獄《じごく》に堕《お》ちた天使《てんし》…。ま、これで完全《かんぜん》に興味《きょうみ》がなくなってスッキリしたけどね…」

自分《じぶん》に言《い》いきかせるように言《い》うと、灰原《はいばら》は小《ち》さく両手《りょうて》を広《ひろ》げ、肩《かた》をすくめた。

「さぁ、私《わたし》の用《よう》は済《す》んだから、事件《じけん》なんてほっといて…さっさとここから立《た》ち去《さ》りましょ？　もっとも、立《た》ち去《さ》るっていっても…どこにも逃《に》げ場《ば》はないかもしれないけど……」

「じゃ、じゃが、哀君《あいくん》のお姉《ねえ》さんが、ここのトイレに何《なに》かを隠《かく》したかもしれんのじゃろ？　それを見《み》つけん事《こと》には…」

「あら、さっき工藤君《くどうくん》が言《い》ってた盗聴器《とうちょうき》の推理《すいり》…。盗聴器《とうちょうき》でこの仕事場《しごとば》の人達《ひとたち》の会話《かいわ》を聞《き》いて隠《かく》し場所《ばしょ》を特定《とくてい》し、二回目《にかいめ》に侵入《しんにゅう》した時《とき》、それを見《み》つけて盗聴器《とうちょうき》と一緒《いっしょ》に回収《かいしゅう》したとも考《かんが》えられるでしょ？」

宮野明美《みやのあけみ》がトイレに隠《かく》した何《なに》かは、すでに黒《くろ》ずくめの組織《そしき》によって回収《かいしゅう》されているのかもしれない――灰原《はいばら》はそう見切《みき》りをつけようとしているのだ。

「だから、ここに留《とど》まる理由《りゆう》はもう…」


灰原《はいばら》がコナンや阿笠博士《あがさはかせ》と話《はな》している間《あいだ》、目暮警部《めぐれけいぶ》は、デザイナーたちから空《あ》き巣《す》が入《はい》った時《とき》の状況《じょうきょう》についての事情《じじょう》を聞《き》いていた。

「ホー…。では空《あ》き巣《す》に入《はい》られたのに、何《なに》も盗《と》られていなかったんですな？」

「え、ええ…」

今井《いまい》がうなずき、夏堀《なつぼり》が「でも社長《しゃちょう》は、デザインを盗《ぬす》まれたと思《おも》っていたみたいっスけど……」と言葉《ことば》を継《つ》ぐ。

「誰《だれ》かがこっそりデザイン画《が》の写真《しゃしん》をとって行《い》ったんだと…」

今井《いまい》が言《い》い、夏堀《なつぼり》は少《すこ》しあきれのまじった口調《くちょう》で「社長《しゃちょう》、昔《むかし》からそういうのにうるさくて…」と眉間《みけん》にしわを寄《よ》せた。

「自分《じぶん》のデザインに似《に》たのを見《み》つけると、すぐにカッとなって……」

今井《いまい》が言《い》い、財津《ざいつ》は「今朝《けさ》も怒鳴《どな》りに行《い》ってたなぁ…」と顔《かお》をしかめた。

「今朝《けさ》も？」

「ああ…よそのデザイン事務所《じむしょ》に『よくも私《わたし》のデザインをパクったな！　空《あ》き巣《す》に入《はい》ったのはお前《まえ》らか⁉』ってね……」

財津《ざいつ》が答《こた》えると、目暮警部《めぐれけいぶ》は「それはどこにある事務所《じむしょ》だね？」と、さらに追及《ついきゅう》した。

「杯戸町《はいどちょう》にある小《ちい》さな会社《かいしゃ》っスよ！」と、夏堀《なつぼり》。

「私達《わたしたち》はそんなに似《に》ていないと止《と》めたんだが…」と、今井《いまい》。

目暮警部《めぐれけいぶ》はにわかに緊張《きんちょう》して、「おい、ひょっとしたら…」とそばにいた高木刑事《たかぎけいじ》に視《し》線《せん》を向《む》けた。

「ええ…そのデザイン事務所《じむしょ》に行《い》った時《とき》に、何《なん》らかの方法《ほうほう》で毒《どく》を仕込《しこ》まれた可能性《かのうせい》もありますね…」

「まあ、社長《しゃちょう》が怒《おこ》るのも無理《むり》ねーよ…。デザインが真似《まね》されて蔓延《まんえん》したら、すぐに飽《あ》きられてポイ捨《す》てだからよ…」

（ポイ捨《す》て…）

財津《ざいつ》がなにげなく言《い》った言葉《ことば》をそばで聞《き》いていたコナンは、ハッとして目《め》を見開《みひら》いた。

その言葉《ことば》に、何《なに》か事件《じけん》の真相《しんそう》を明《あき》らかにするための糸口《いとぐち》のようなものがある気《き》がする。

コナンは、デザイナーたちの会話《かいわ》をもっとよく聞《き》こうと、前《まえ》の方《ほう》へ進《すす》みでた。

「ああ…空《あ》き巣《す》といえば、あの後妙《あとみょう》な事《こと》が…」

今井《いまい》がなにげなく言《い》い、目暮警部《めぐれけいぶ》が「妙《みょう》な事《こと》？」と聞《き》き返《かえ》す。

「急《きゅう》に出《で》て来《き》たんですよ！　随分前《ずいぶんまえ》に無《な》くしたと思《おも》っていたシャープペンが…」

「そうそう、俺《おれ》が愛用《あいよう》してた定規《じょうぎ》と一緒《いっしょ》にな…」

今井《いまい》と財津《ざいつ》が口々《くちぐち》に言《い》い、コナンは（え？）と驚《おどろ》いて顔《かお》をあげた。

「盗《と》られたんじゃなく、出《で》てきたのかね？」

「え、ええ…ここの玄関《げんかん》の下駄箱《げたばこ》の中《なか》から、ひょっこり…」

今井《いまい》の証言《しょうげん》に、夏堀《なつぼり》が「でもそれ、空《あ》き巣《す》に入《はい》られる前《まえ》じゃなかったっスか？」と横《よこ》やりを入《い》れる。今井《いまい》と財津《ざいつ》はそろって「あれ？」「そうだったか？」と自信《じしん》なさげだ。なくしたものが出《で》てきたことはまちがいないようだが、それが空《あ》き巣《す》に入《はい》る前《まえ》だったかあとだったかは、二人《ふたり》とも自信《じしん》がないらしい。

「それより妙《みょう》なのは、あの後《あと》の社長《しゃちょう》の方《ほう》っスよ！」

夏堀《なつぼり》が、新《あら》たな話題《わだい》を切《き》り出《だ》す。

「ん？」

「ああ…そういえば、それもあの頃《ころ》からだったなぁ…。節水《せっすい》、節水《せっすい》って……急《きゅう》に口《くち》うるさくなったのは…」

「ホラ、トイレにも貼《は》ってあったでしょ？『節水《せっすい》』って…」

「おかげで仕事中《しごとちゅう》にシャワーを浴《あ》びるのが禁止《きんし》になっちゃって…」

今井《いまい》、夏堀《なつぼり》、財津《ざいつ》が順番《じゅんばん》に証言《しょうげん》する。確《たし》かにトイレの壁《かべ》には【節水《せっすい》】と書《か》かれた張《は》り紙《がみ》があったが、あれは出島《でじま》が貼《は》ったものだったのだ。

「前《まえ》はそんな事気《ことき》にする人《ひと》じゃなかったんだが…」

そう言《い》いながら、今井《いまい》はしんみりとした表情《ひょうじょう》を浮《う》かべた。

事務所《じむしょ》に空《あ》き巣《す》が入《はい》ったこと、出島《でじま》が別《べつ》のデザイン事務所《じむしょ》に怒鳴《どな》りこんでいたこと、空《あ》き巣《す》に入《はい》られた前後《ぜんご》で出島《でじま》が急《きゅう》に節水《せっすい》を気《き》にするようになったこと――デザイナーたちの一連《いちれん》の証言《しょうげん》を聞《き》いたコナンは（そうか…。そうだったんだ……）と腑《ふ》に落《お》ちた。

コナンの中《なか》で、この事件《じけん》の謎《なぞ》がすべて解《と》けたのだ。

「ではそのデザイン事務所《じむしょ》に案内《あんない》してもらえますか？」

「ええ…」

目暮警部《めぐれけいぶ》は、デザイナーたちと、出島《でじま》が怒鳴《どな》りこんだというデザイン事務所《じむしょ》にも行《い》くつもりのようだ。それを聞《き》いた阿笠博士《あがさはかせ》は、「あ、じゃあ、ワシらはそろそろ…」とさりげなく撤収《てっしゅう》しようとした。

しかしコナンが、「いや…その必要《ひつよう》はねぇよ…」と低《ひく》い声《こえ》で口《くち》をはさむ。

不思議《ふしぎ》そうに「え？」とつぶやく灰原《はいばら》に、「この殺人《さつじん》は、黒《くろ》ずくめの奴《やつ》らの仕業《しわざ》じゃねえっつってんだ…」と断言《だんげん》して、コナンは強気《つよき》に微笑《びしょう》した。

「恐《おそ》らく犯人《はんにん》はあの人《ひと》…。トイレをうまく利用《りよう》して、出島社長《でじましゃちょう》を殺《ころ》したんだ…。それに、お宝《たから》を目《め》の前《まえ》にして帰《かえ》る手《て》はねぇぜ…」

「え？　じゃあ…」

「ああ…。オレの推理《すいり》が間違《まちが》ってなかったら、まだ眠《ねむ》ってるはずさ…」

コナンは、トイレの方《ほう》を振《ふ》り返《かえ》ると、自信《じしん》にあふれて続《つづ》けた。

「あのトイレの中《なか》に…オメーの姉《ねえ》さんが隠《かく》した何《なに》かがな!!」


警察《けいさつ》の現場確認《げんばかくにん》が終《お》わり、ようやく出島《でじま》の遺体《いたい》を動《うご》かせるようになった。タンカにのせられて運《はこ》ばれていく遺体《いたい》を見送《みおく》りながら、目暮警部《めぐれけいぶ》は「ウーム…」とうなった。

「この出島社長《でじましゃちょう》が、手《て》についた毒《どく》によってここで亡《な》くなったのは確《たし》かだが……問題《もんだい》の毒《どく》は、このデザイン事務所内《じむしょない》の社長《しゃちょう》さんが触《さわ》りそうな場所《ばしょ》からは、発見《はっけん》されなかった…」

「これはやはり…今朝《けさ》、出島社長《でじましゃちょう》が怒鳴《どな》り込《こ》んだという、杯戸町《はいどちょう》のデザイン事務所《じむしょ》で毒《どく》を仕込《しこ》まれた線《せん》も考《かんが》えた方《ほう》がよさそうですね…。とにかく行《い》ってみましょう！　杯戸町《はいどちょう》にあるというそのデザイン事務所《じむしょ》に！」

高木刑事《たかぎけいじ》が、先《さき》に立《た》って歩《ある》きだそうとする。

「ああ…出島社長《でじましゃちょう》に気《き》づかれずに、毒《どく》を手《て》に付着《ふちゃく》させた方法《ほうほう》が何《なに》かあるかも…」

そう言《い》いながら、目暮警部《めぐれけいぶ》も、高木刑事《たかぎけいじ》の後《あと》を追《お》おうと足《あし》を前《まえ》へ踏《ふ》みだした。

勇《いさ》む二人《ふたり》を、『いや、ないよ…』と阿笠博士《あがさはかせ》の声《こえ》が呼《よ》び止《と》める。

コナンが、蝶《ちょう》ネクタイ型変声機《がたへんせいき》で勝手《かって》に出《だ》した声《こえ》だ。

「え？」

高木刑事《たかぎけいじ》がびっくりして、阿笠博士《あがさはかせ》の方《ほう》を見《み》る。

「あ、いや…」

あたふたする阿笠博士《あがさはかせ》の背後《はいご》で、コナンはかまわず『たとえあったとしても、ここへ帰《かえ》って来《き》た時《とき》に何《なに》か触《さわ》るじゃろ？』と話《はな》し続《つづ》けた。

阿笠博士《あがさはかせ》はとっさに、コナンの声《こえ》に合《あ》わせて口《くち》をパクパクさせた。

『ドアのノブとか、イスの背《せ》もたれとか…。じゃが、毒物反応《どくぶつはんのう》が出《で》たのは、社長《しゃちょう》の左手《ひだりて》とズボンの右側《みぎがわ》とベルトの穴《あな》が空《あ》いている部分《ぶぶん》と、社長《しゃちょう》さんが持《も》っていたハンカチ…。そして社長《しゃちょう》さんが倒《たお》れる前《まえ》に食《た》べたハンバーガーの包《つつ》み紙《がみ》だけじゃ…。しかもそれらは全《すべ》て少量《しょう》《りょう》で、恐《おそ》らく社長《しゃちょう》が毒《どく》のついた手《て》で触《さわ》った時《とき》についたものとするのなら…もうわかるじゃろ？　いつ社長《しゃちょう》の手《て》に毒《どく》がついたかが…』

「え？」

きょとんとする高木刑事《たかぎけいじ》と目暮警部《めぐれけいぶ》に『ホレ、ベルトをゆるめてズボンを上《あ》げ下《さ》げし、ハンカチを使《つか》う場所《ばしょ》といえば…』とコナンがヒントを出《だ》す。

すると目暮警部《めぐれけいぶ》は、ようやくピンときて叫《さけ》んだ。

「ま、まさか……トイレの中《なか》!?」

『そうじゃ…。出島社長《でじましゃちょう》は、トイレの中《なか》で毒《どく》を仕込《しこ》まれて殺《ころ》されたんじゃ…。この三人《さんにん》の社員《しゃいん》の中《なか》の誰《だれ》かにのォ！』

「でもねぇ、阿笠《あがさ》さん…トイレの中《なか》から毒物反応《どくぶつはんのう》は何《なに》も…」

『出《で》て来《こ》なくて当然《とうぜん》じゃよ…。毒《どく》が塗《ぬ》られたその物体《ぶったい》は、出島社長自《でじましゃちょうみずか》らの手《て》によって……トイレの外《そと》に持《も》ち出《だ》されてしまったんじゃからな！』

目暮警部《めぐれけいぶ》はわけがわからず、「も、持《も》ち出《だ》した？」とそのまま繰《く》り返《かえ》した。

『ホラ、あるじゃろ？　使《つか》い切《き》ってしまったら捨《す》てなければならん物《もの》が…』

「芳香剤《ほうこうざい》はなかったようだし…タオルを替《か》えたんなら、もっときれいなタオルがかかっているはずだし…」

考《かんが》えあぐねる目暮警部《めぐれけいぶ》と一緒《いっしょ》に、高木刑事《たかぎけいじ》も「後《あと》はトイレットペーパーの…」と考《かんが》えこみ、「そ、そうか!!」と、思《おも》いついて顔《かお》を輝《かがや》かせた。

「トイレットペーパーの芯《しん》!!　あれに毒《どく》を塗《ぬ》っておいて備《そな》え付《つ》けておけば、勝手《かって》に新《あたら》しいヤツと取《と》り替《か》えてくれて、その芯《しん》は捨《す》てるために持《も》ち出《だ》してくれますよ！」

「だ、だがそうだとすれば…取《と》り替《か》えた新《あたら》しいトイレットペーパーに、毒《どく》がついているはずじゃあ…」

目暮警部《めぐれけいぶ》が、混乱《こんらん》した表情《ひょうじょう》を阿笠博士《あがさはかせ》に向《む》ける。

『ハハハ…普通《ふつう》、取《と》り替《か》えたら使《つか》うじゃろ？　新《あたら》しいトイレットペーパーの毒《どく》がついた部《ぶ》分《ん》は…使《つか》う時《とき》にちぎられて、トイレの水《みず》で流《なが》されてしまうわい！』

コナンが言《い》うのを聞《き》いて、目暮警部《めぐれけいぶ》と阿笠博士《あがさはかせ》は、「な、なるほど…」と声《こえ》をそろえた。

目暮警部《めぐれけいぶ》はともかく、阿笠博士《あがさはかせ》まで、思《おも》わずコナンの推理《すいり》に感心《かんしん》してしまったらしい。

「え？」

目暮警部《めぐれけいぶ》に不審《ふしん》そうな視線《しせん》を向《む》けられ、阿笠博士《あがさはかせ》は「なるほど納得《なっとく》じゃろ？」とあわててごまかした。

コナンはなおも推理《すいり》を続《つづ》ける。

『恐《おそ》らく、出島社長《でじましゃちょう》がトイレの中《なか》でとった行動《こうどう》はこうじゃ！　まず、トイレの紙《かみ》が切《き》れている事《こと》に気《き》づいて、毒《どく》のついた芯《しん》を右手《みぎて》でつかみ、棚《たな》の上《うえ》に置《お》いてある新《あたら》しいトイレットペーパーと取《と》り替《か》え、毒《どく》のついた芯《しん》はいったん床《ゆか》に置《お》く…。紙《かみ》を使《つか》い終《お》えたら、毒《どく》のついた右手《みぎて》でズボンを上《あ》げベルトを締《し》め、左側《ひだりがわ》にあるレバーを左手《ひだりて》でひねって水《みず》を流《なが》す…。そして水《みず》で手《て》を洗《あら》い、ハンカチで拭《ふ》けば毒《どく》は拭《ふ》き取《と》られ、用済《ようず》みの芯《しん》を持《も》ってトイレの外《そと》に出《で》ればトイレ内《ない》に毒《どく》が残《のこ》らないというわけじゃ！』

手《て》を洗《あら》った時《とき》に、手《て》についた毒《どく》はふき取《と》られてしまうが、床《ゆか》などに置《お》いたはずのトイレットペーパーの芯《しん》を触《さわ》れば再《ふたた》び指《ゆび》に毒《どく》がつくというわけだ。

「そうか！　だからズボンの右側《みぎがわ》やベルトの穴《あな》の部分《ぶぶん》やハンカチに、毒《どく》が少量《しょうりょう》ついていたんですね！」

高木刑事《たかぎけいじ》が腑《ふ》に落《お》ちたという顔《かお》で言《い》った。

「まあ個人差《こじんさ》はあるが、大体《だいたい》こんなとこじゃろう…」

「しかし、毒《どく》は遺体《いたい》の左手《ひだりて》についていたじゃないか…。左利《ひだりき》きでもないのに、何《なん》で芯《しん》を持《も》って出《で》た時《とき》に左手《ひだりて》に毒《どく》が…」

目暮警部《めぐれけいぶ》が不可解《ふかかい》そうに言《い》う。

「バカですねぇ！　トイレのドアを右手《みぎて》で開《あ》ければ、左手《ひだりて》に芯《しん》を持《も》つしかないじゃないですか…」

高木刑事《たかぎけいじ》はつい軽《かる》い口調《くちょう》でつっこんでしまい、目暮警部《めぐれけいぶ》からゲンコツをもらうハメになった。バカですねぇの一言《ひとこと》が余計《よけい》だったようだ。

目暮警部《めぐれけいぶ》はオホンと咳《せき》を一《ひと》つして、仕切《しき》り直《なお》した。

「な、なるほど…。そうやって持《も》って出《で》た芯《しん》を仕事場《しごとば》のゴミ箱《ばこ》に捨《す》て、毒《どく》の付《つ》いた左手《ひだりて》でハンバーガーをつかんで食《た》べれば、毒殺《どくさつ》できるというわけですな…」

「なんなら試《ため》してみましょうか？」

「え？」

「実際《じっさい》にトイレに入《はい》って…」

何《なに》を言《い》いだすのかと驚《おどろ》く目暮警部《めぐれけいぶ》の前《まえ》で、阿笠博士《あがさはかせ》はトイレのドアを開《あ》けた。そのまま中《なか》に入《はい》り、ガチャッと鍵《かぎ》をしめる。

「あ、ちょっと…」

推理《すいり》の途中《とちゅう》でトイレにこもられては困《こま》ってしまう。目暮警部《めぐれけいぶ》は、「あ、阿笠《あがさ》さん？」と呼《よ》びかけつつ、コンコンとドアをノックした。

「まだ重要《じゅうよう》な事《こと》が解《と》けてませんよ…。このトリックを仕掛《しか》けたのは、あの三人《さんにん》の社員《しゃいん》の中《なか》の誰《だれ》なんですか？　一番先《いちばんさき》にトイレに入《はい》った夏堀《なつぼり》さん？　それとも、二番目《にばんめ》に入《はい》った今井《いまい》さん？　まぁ最《もっと》も怪《あや》しいのは三番目《さんばんめ》…つまり社長《しゃちょう》の前《まえ》にトイレに入《はい》った財津《ざいつ》さん…あなたでしょうけど…」

目暮警部《めぐれけいぶ》に名指《なざ》しで疑《うたが》われ、財津《ざいつ》は「ま、まてよ…」と身《み》じろぎした。

「おかしくねーか？　確《たし》かに今《いま》の方法《ほうほう》なら社長《しゃちょう》を毒殺《どくさつ》できるかもしれねーけど、社長《しゃちょう》が腹《はら》を壊《こわ》してトイレに入《はい》り、その間《あいだ》に誰《だれ》かがハンバーガーを買《か》って来《こ》なきゃ、この殺《ころ》しは無理《むり》じゃねーかよ!! ハンバーガーを食《た》べようって言《い》ったのは社長《しゃちょう》だしよォ…」

「た、確《たし》かに都合《つごう》が良《よ》すぎるか……」

目暮警部《めぐれけいぶ》が納得《なっとく》しかけた時《とき》、トイレのドアが開《あ》いて、阿笠博士《あがさはかせ》が再《ふたた》び姿《すがた》を見《み》せた。

『じゃから、犯人《はんにん》は何度《なんど》もシミュレーションしたんじゃよ…。出島社長《でじましゃちょう》は夢《ゆめ》にも思《おも》わなかったじゃろう…。毎日今井《まいにちいまい》さんが入《い》れてくれるコーヒーの中《なか》に…下剤《げざい》が入《はい》っていたなんてのォ…』

「げ、下剤《げざい》!?」と、夏堀《なつぼり》と財津《ざいつ》は声《こえ》をそろえた。

『そうじゃ! 毎日《まいにち》その量《りょう》を少《すこ》しずつ増《ふ》やして味《あじ》に慣《な》れさせ、その量《りょう》と、トイレに行《い》くタイミングを計《はか》っておったんじゃ…』

「じゃあ、社長《しゃちょう》が最近《さいきん》よくおなかを壊《こわ》していたのは…」と、夏堀《なつぼり》。

『ああ、そうじゃ…。そして、社長《しゃちょう》がハンバーガーを注文《ちゅうもん》したこの日《ひ》に殺人《さつじん》を決行《けっこう》したんじゃよ! ちなみに、今井《いまい》さんがコーヒーにクッキーを添《そ》えて持《も》って来《き》たのも、トイレに行《い》きやすくするため……。人間《にんげん》は食事《しょくじ》をとると横行結腸《おうこうけっちょう》から、S状結腸《エスじょうけっちょう》にかけて急激《きゅうげき》に強《つよ》い蠕動運動《ぜんどううんどう》が生《しょう》じる…。つまり、何《なに》かを胃袋《いぶくろ》に入《い》れると便意《べんい》が起《お》こりやすいというわけじや！　まぁ普段《ふだん》から痔《じ》のために下剤《げざい》を服用《ふくよう》していた出島社長《でじましゃちょう》なら、司法解剖《しほうかいぼう》で体内《たいない》から下《げ》剤《ざい》が発見《はっけん》されても問題《もんだい》はないし、たとえ下剤《げざい》がコーヒーから見《み》つかっても…』

「いつもそうやって飲《の》んでいたと思《おも》われて、怪《あや》しまれないという事《こと》ですな…」

目暮警部《めぐれけいぶ》はすっかり納得《なっとく》すると、考《かんが》えこむように左手《ひだりて》をアゴに添《そ》えた。

「となると、毒《どく》を仕込《しこ》んだのは今井《いまい》さんがトイレに入《はい》った時《とき》……。あらかじめ毒《どく》を塗《ぬ》った芯《しん》を用意《ようい》していたか、あるいは毒《どく》を直接《ちょくせつ》、芯《しん》にトイレの中《なか》で塗《ぬ》ったか…」

「おいおい、社長《しゃちょう》がトイレに入《はい》る前《まえ》に俺《おれ》が入《はい》ったんだぞ？　もしも俺《おれ》が小《しょう》の方《ほう》じゃなかったら、俺《おれ》が死《し》んでたのかよ？　オレもあの後《あと》、ハンバーガーを食《た》べたしよォ…」

『いや…あなたはいつも左手《ひだりて》に飲《の》み物《もの》を持《も》っていたし…トイレが近《ちか》いなら小《しょう》の方《ほう》だと想像《そうぞう》がつく…』

ボヤく財津《ざいつ》に、阿笠博士《あがさはかせ》が説明《せつめい》する。いつも飲《の》み物《もの》を飲《の》んでいる財津《ざいつ》は、常《つね》に左手《ひだりて》にペットボトルを持《も》っていた。つまり、食《た》べ物《もの》を持《も》つのは左手《ひだりて》ということになるのだ。

『もしも大《だい》の方《ほう》だったら、ウエットティッシュか何《なに》かを渡《わた》すつもりだったんじゃろう…。「食《た》べる前《まえ》に手《て》を拭《ふ》けよ」とか言《い》って…』

「何《なん》で大《だい》か小《しょう》かなんてわかるんだ？　トイレの中《なか》をのぞいてたんじゃあるまいし…」

『トイレの水《みず》の音《おと》じゃよ…』

「音《おと》…？」

『出島社長《でじましゃちょう》が節水《せっすい》するように口《くち》うるさく言《い》っていたのなら…流《なが》す水《みず》の音《おと》で大《だい》か小《しょう》かはのぞかなくてもわかる……。もちろんあなたの後《あと》に入《はい》り、社長《しゃちょう》にせかされて慌《あわ》てて出《で》て来《き》たコナン君《くん》と哀君《あいくん》が、毒《どく》つきの芯《しん》には触《ふ》れていないだろうという事《こと》もな……』

その時《とき》、家《いえ》の中《なか》を調《しら》べに行《い》っていた高木刑事《たかぎけいじ》が、手袋《てぶくろ》をはめた手《て》にトイレットペーパーの芯《しん》を持《も》って戻《もど》ってきた。

「警部《けいぶ》、ありました!!　ゴミ箱《ばこ》の中《なか》にトイレットペーパーの芯《しん》が！」

「よーし、鑑識《かんしき》に回《まわ》せ!!」

威勢《いせい》よく指示《しじ》を出《だ》すと、目暮警部《めぐれけいぶ》は「となると」と表情《ひょうじょう》を引《ひ》き締《し》めて続《つづ》けた。

「もう一度《いちど》、念入《ねんい》りに捜《さが》す必要《ひつよう》がありそうだな…。その毒付《どくつ》きの芯《しん》を入《い》れて持《も》ち運《はこ》んだ袋《ふくろ》か、もしくは毒《どく》の入《はい》った瓶《ビン》か何《なに》かが、どこかにあるはずだからな…」

「台所《だいどころ》の流《なが》し台《だい》の三角《さんかく》コーナーの中《なか》……」

灰原《はいばら》が、ふいに口《くち》をはさむ。

「私《わたし》ならトイレで毒《どく》をしかけた後《あと》、コーヒーをいれた台所《だいどころ》に行《い》った時《とき》に、そこに隠《かく》すわ…。臭《くさ》くて汚《きたな》くて、誰《だれ》も触《さわ》りたがらない場所《ばしょ》だし……。後《あと》で人目《ひとめ》を盗《ぬす》んで処分《しょぶん》しなくても、誰《だれ》かが勝手《かって》に捨《す》ててくれるだろうしね…。それに、ゴミ箱《ばこ》と違《ちが》って、隠《かく》し場所《ばしょ》を変《か》えたくなった時《とき》に回収《かいしゅう》しやすいから…」

淡々《たんたん》と言《い》う灰原《はいばら》を、今井《いまい》は目《め》を見開《みひら》いて見《み》つめた。

灰原《はいばら》の姿《すがた》が、二十年前《にじゅうねんまえ》に訪《たず》ねて来《き》た時《とき》の、まだ幼《おさな》かった宮野明美《みやのあけみ》と重《かさ》なって見《み》えたのだ。

当時《とうじ》の宮野明美《みやのあけみ》は、ちょうど、今《いま》の灰原《はいばら》と同《おな》じくらいの年齢《ねんれい》だった。

「け、警部《けいぶ》、台所《だいどころ》の三角《さんかく》コーナーの中《なか》から妙《みょう》なビニール袋《ぶくろ》を発見《はっけん》しました!!」

警察官《けいさつかん》の男《おとこ》が、小走《こばし》りに駆《か》けてきて報告《ほうこく》する。

「おお、そうか!! この袋《ふくろ》から毒物反応《どくぶつはんのう》とあなたの指紋《しもん》が出《で》れば…」

「出《で》るでしょうね…」

今井《いまい》は観念《かんねん》して目《め》を閉《と》じると、自分《じぶん》が犯人《はんにん》だと認《みと》めて、ぽつぽつと語《かた》り始《はじ》めた。

「社長《しゃちょう》を殺《ころ》すチャンスを逃《のが》さないために…ずっと、肌身離《はだみはな》さず持《も》っていたんですから…。

殺意《さつい》を覚《おぼ》えたのは、もう20年《ねん》も前《まえ》かな……」

「に、20年《ねん》…」

財津《ざいつ》がため息《いき》まじりに言《い》う。それほど長《なが》い間《あいだ》、今井《いまい》は同僚《どうりょう》の財津《ざいつ》にも悟《さと》られないまま、出島《でじま》に殺意《さつい》を抱《いだ》き続《つづ》けていたのだ。

「あ…君《きみ》がこの事務所《じむしょ》に入《はい》って、まだ間《ま》もない頃《ころ》…。ホラ、私《わたし》がここを辞《や》めて独立《どくりつ》し、もう一度《いちど》、再入社《さいにゅうしゃ》しただろ？　あの頃《ころ》だよ…」

今井《いまい》が財津《ざいつ》に向《む》かって告《つ》げると、夏堀《なつぼり》は「そういえば、前《まえ》に社長《しゃちょう》に聞《き》いたっス…。独立《どくりつ》したけど芽《め》が出《で》ないから拾《ひろ》ってやったって……」と、思《おも》い出《だ》したように言《い》った。

「芽《め》が出《で》ないか…。そりゃ出《で》るわけないよ……。社長《しゃちょう》が出版会社《しゅっぱんがいしゃ》に根回《ねまわ》ししていたんだから…。裏切《うらぎ》り者《もの》に仕事《しごと》を回《まわ》すと、あんたんトコの仕事《しごと》は金輪際《こんりんざい》請《う》けないってね…」

初耳《はつみみ》だったらしく、財津《ざいつ》は「マ、マジで？」と声《こえ》をひっくり返《かえ》した。

出島《でじま》は、独立《どくりつ》した今井《いまい》の仕事《しごと》をこっそりと妨害《ぼうがい》していたのだ。

「ああ、出版社《しゅっぱんしゃ》の友人《ゆうじん》に聞《き》いたから…。あの時《とき》もカーッとなったよ、どーしようもなく…。社長《しゃちょう》が帰宅《きたく》したらどーやって殺《ころ》そうかと、台所《だいどころ》であれこれ考《かんが》えるぐらいにね…。そうしたら、たまたま両親《りょうしん》と来《き》ていた明美《あけみ》ちゃんが後《うし》ろに立《た》っていて…」

突然《とつぜん》出《で》てきた姉《あね》の名前《なまえ》に、灰原《はいばら》は（え？）と反応《はんのう》した。

今井《いまい》は静《しず》かに、二十年前《にじゅうねんまえ》の記憶《きおく》を語《かた》り続《つづ》ける。

「『どうしたの、怖《こわ》い顔《かお》して…。探《さが》し物《もの》？　それとも何《なに》か隠《かく》したいの？　三角《さんかく》コーナーの中《なか》は隠《かく》しちゃダメだよ！　誰《だれ》かに捨《す》てられちゃうから』って悲《かな》しそうな顔《かお》で聞《き》いて来《き》たから…『おじさん、ちょっと疲《つか》れがでただけだから』って答《こた》えたら…ニッコリ笑《わら》ってね…。その後《あと》だよ…明美《あけみ》ちゃんが私達《わたしたち》の道具《どうぐ》を、いたる所《ところ》に隠《かく》し始《はじ》めたのは…。でも、その無邪気《むじゃき》な笑顔《えがお》を見《み》ていたら殺気《さっき》がどこかに吹《ふ》っ飛《と》んでしまって…」

二十年前《にじゅうねんまえ》、今井《いまい》は宮野明美《みやのあけみ》のおかげで、殺人《さつじん》を思《おも》いとどまることができたのだった。

「じゃあ、どうして今《いま》になってまた…」

目暮警部《めぐれけいぶ》が冷静《れいせい》に追及《ついきゅう》する。

「この前《まえ》、また社長《しゃちょう》に独立《どくりつ》したいと相談《そうだん》したら、こう言《い》われたんですよ……。『今《いま》のお前《まえ》さんのセンスじゃ無理《むり》だ…20年前《ねんまえ》なら話《はなし》は別《べつ》だがな』ってね…。久《ひさ》し振《ぶ》りに彼女《かのじょ》に会《あ》って、気《き》が大《おお》きくなっていただけに、社長《しゃちょう》の言葉《ことば》はこたえたよ…」

しぼりだすように言《い》って、今井《いまい》はうつむいた。

二十年前《にじゅうねんまえ》にそもそも今井《いまい》の仕事《しごと》を邪魔《じゃま》したのは出島《でじま》なのに、そんなことを言《い》われて、今《いま》井《い》は再《ふたた》び殺意《さつい》をおさえきれなくなってしまったのだ。

「か、彼女《かのじょ》って、この前《まえ》トイレを借《か》りに来《き》た明美《あけみ》ちゃん？」

財津《ざいつ》が聞《き》き、今井《いまい》は疲《つか》れた顔《かお》で「ああ…」とうなずいた。

「実《じつ》は少々《しょうしょう》、期待《きたい》していたんだ…。その時《とき》の彼女《かのじょ》の笑顔《えがお》に…」

再《ふたた》び出島《でじま》デザイン事務所《じむしょ》を訪《おとず》れた宮野明美《みやのあけみ》は、帰《かえ》る間際《まぎわ》、笑顔《えがお》でこう言《い》ったのだ。

――一週間《いっしゅうかん》ぐらいたったらまた来《き》ます…。今度《こんど》は妹《いもうと》を連《つ》れて…。

「だが彼女《かのじょ》は来《こ》なかった……。また、あの笑顔《えがお》で殺意《さつい》を消《け》してくれるんじゃないかと思《おも》ったが…虫《むし》が良《よ》すぎたか…」

ひとりごとのようにつぶやくと、今井《いまい》は両手《りょうて》に手錠《てじょう》をかけられ、警察《けいさつ》に連行《れんこう》されていった。

コナンは無事《ぶじ》に殺人事件《さつじんじけん》を解決《かいけつ》し、ようやく出島《でじま》デザイン事務所《じむしょ》をあとにして、阿笠《あがさ》博士《はかせ》の運転《うんてん》する車《くるま》で帰路《きろ》についた。阿笠博士《あがさはかせ》がハンドルを握《にぎ》る隣《となり》で、コナンは耳《みみ》にヘッドフォンをつけ、カーステレオで何《なに》かを聞《き》いている。

「それで？　見《み》つけたんでしょ？　推理《すいり》の途中《とちゅう》で博士《はかせ》とトイレに入《はい》った時《とき》に……お姉《ねえ》ちゃんが隠《かく》した物《もの》を…」

灰原《はいばら》はもどかしそうに、コナンに声《こえ》をかけた。

推理《すいり》の途中《とちゅう》で阿笠博士《あがさはかせ》がトイレにこもった時《とき》、コナンも一緒《いっしょ》に入《はい》った。それは、トリックを実演《じつえん》するためなどではなく、宮野明美《みやのあけみ》がトイレに隠《かく》した物《もの》を回収《かいしゅう》するためだったのだ。

「ん？　あ、ああ…オメーの姉《ねえ》さんがトイレを借《か》りに来《き》てから、あの出島社長《でじましゃちょう》が急《きゅう》に節水《せっすい》しろって口《くち》うるさくなったっていうのを聞《き》いて、ピンと来《き》たんだよ…。トイレの給水《きゅうすい》タンクの浮《う》き玉《だま》に何《なに》かが取《と》り付《つ》けられていて、水《みず》が少《すこ》しずつ流《なが》れ続《つづ》けているんじゃねぇかってな…。フタを開《あ》けて浮《う》き玉《だま》の裏《うら》を調《しら》べてみたら案《あん》の定《じょう》、何《なに》かが入《はい》ったビニール袋《ぶくろ》がガムテープでしっかり取《と》り付《つ》けられてたよ…」

浮《う》き玉《だま》とは、タンク内《ない》の水《みず》の量《りょう》を調整《ちょうせい》するために設置《せっち》されている球体《きゅうたい》のこと。便器《べんき》への給水《きゅうすい》を止《と》める役割《やくわり》があるのだが、この浮《う》き玉《だま》が重《おも》くなると水《みず》が完全《かんぜん》には止《と》まらず、ちょろちょろと流《なが》れ続《つづ》けてしまう。このせいで水道料金《すいどうりょうきん》が急激《きゅうげき》に上《あ》がってしまい、出島《でじま》は節水《せっすい》を気《き》にするようになったのだろう。

「他《ほか》にも古《ふる》いビニールテープがくっついていたから、多分《たぶん》20年前《ねんまえ》、お姉《ねえ》さんは今井《いまい》さんの『疲《つか》れた』って言葉《ことば》を真《ま》に受《う》けて、仕事《しごと》を休《やす》めるように仕事道具《しごとどうぐ》を隠《かく》したんだ…。んで、20年後《ねんご》、再《ふたた》びやって来《き》た時《とき》に取《と》り付《つ》けていた物《もの》をはがし、代《か》わりにこいつを貼《は》っ付《つ》けたってわけだ…。1から20の番号《ナンバー》が振《ふ》ってあるこのカセットテープを…ビニール袋《ぶくろ》に入《い》れてな！」

コナンは灰原《はいばら》に、回収《かいしゅう》したビニール袋《ぶくろ》を見《み》せた。

中《なか》には、カセットテープが三《みっ》つ入《はい》っている。

「カ、カセットテープ？」

「ああ…少《すく》なくとも、奴《やつ》らの手掛《てが》かりぐれーは入《はい》ってるはずだ……。黒《くろ》ずくめの監視役《かんしやく》に気《き》づかれちゃならねー、大事《だいじ》な情報《じょうほう》がな!!」

「ちょ、ちょっと！　まさかあなた、今聞《いまき》いてるの!?」

灰原《はいばら》は大《おお》あわてで身《み》をのりだした。

コナンがずっとヘッドフォンを装着《そうちゃく》していたのは、このカセットテープの中身《なかみ》を確認《かくにん》するためだったのだ。

「え？　ああ…とりあえず11〜15ってヤツを聞《き》いてんだけど、頭《あたま》の余白《よはく》が多《おお》くてまだ何《なに》も……」

「ダメよ、やめなさい!!」

灰原《はいばら》は必死《ひっし》の表情《ひょうじょう》で叫《さけ》んだ。

「あなたは知《し》らなくてもいい事《こと》よ!!　これ以上深入《いじょうふかい》りしたら、あなた本当《ほんとう》に…」

カチッ。

コナンは手《て》を伸《の》ばして、ステレオの停止《ていし》ボタンを押《お》した。

「え？」

「悪《わる》い灰原《はいばら》…。確《たし》かにこれは、オレが聞《き》いちゃいけねーテープ…。オメーの…オメーだけの…声《こえ》だ…」

静《しず》かに、でもどこかやさしさのまじる声《こえ》で言《い》うと、コナンは灰原《はいばら》にヘッドフォンを手渡《てわた》し、「聞《き》いてみな…」とカセットテープを巻《ま》き戻《もど》してまた再生《さいせい》した。

いったいなんなのかといぶかしく思《おも》いつつ、灰原《はいばら》は差《さ》し出《だ》されるがままヘッドフォンを受《う》け取《と》り、頭《あたま》につけた。

やがて、灰原《はいばら》の耳《みみ》に、カセットテープに録音《ろくおん》された音声《おんせい》が流《なが》れてくる。

それは、やわらかい女性《じょせい》の声《こえ》だった。

『11歳《さい》になった志保《しほ》へ…。誕生日《たんじょうび》おめでとう…』

(え？　お母《かあ》さん？)

初《はじ》めて聞《き》く声《こえ》だが、灰原《はいばら》にはすぐに、その声《こえ》が母《はは》の宮野《みやの》エレーナのものだとわかった。

『そろそろ好《す》きな子《こ》できましたか？　お母《かあ》さんの初恋《はつこい》はね…』

エレーナの声《こえ》はやさしかった。

ヘルエンジェルと呼《よ》ばれた『陰気《いんき》で無口《むくち》な』女性《じょせい》のイメージはまったくない。

(多分《たぶん》、死期《しき》を悟《さと》って灰原《はいばら》の姉《ねえ》さんに託《たく》したんだ…。成人《せいじん》するまでの娘《むすめ》への言葉《ことば》を…この
カセットテープに込《こ》めて…。託《たく》された姉《ねえ》さんは監視《かんし》が厳《きび》しくて渡《わた》せなかったけど…昔《むかし》やっ
たイタズラの事《こと》を思《おも》い出《だ》して、あのデザイン事務所《じむしょ》のトイレでこっそり渡《わた》すつもりだった

ってわけか…)

コナンは、手《て》もとのビニール袋《ぶくろ》の中《なか》に入《はい》ったカセットテープを見《み》つめた。

三《みっ》つのカセットテープには、それぞれ1〜5、6〜10、16〜20とラベルが貼《は》られている。

今灰原《いまはいばら》が聞《き》いている11〜15のカセットテープと合《あ》わせ、灰原《はいばら》が二十歳《はたち》になるまでのメッセージをエレーナは用意《ようい》していたのだ。

(よかったな、灰原《はいばら》…。おまえの母《かあ》さんは正真正銘《しょうしんしょうめい》のエンジェルだぜ…)

灰原《はいばら》は目《め》を閉《と》じて、流《なが》れてくるエレーナの声《こえ》に聞《き》き入《い》った。

母親《ははおや》が自分《じぶん》のためにメッセージを残《のこ》してくれたこと、ずっと気《き》になっていた母親《ははおや》の声《こえ》を初《はじ》めて聞《き》けたこと、そして母親《ははおや》の声《こえ》がとてもやさしくてあたたかかったこと、何《なに》もかもがうれしくて、灰原《はいばら》は自分《じぶん》でも知《し》らないうちに小《ちい》さく微笑《ほほえ》んでいた。

(お母《かあ》さん…)


その頃《ころ》。

日本国内《にほんこくない》のとある空港《くうこう》に、黒《くろ》いコートを着込《きこ》んだ一人《ひとり》の女性《じょせい》が降《お》り立《た》った。

サングラスで顔《かお》を隠《かく》しているせいで、誰《だれ》もその女性《じょせい》が有名女優《ゆうめいじょゆう》のクリス・ヴィンヤード——ベルモットだとは気《き》づかない。

空港《くうこう》の外《そと》に出《で》るなり、ベルモットは誰《だれ》かに電話《でんわ》をかけた。

「待《ま》たせたわね…。まあ、あなたの腕《うで》を借《か》りるまでもないと思《おも》うけど…照準《サイト》に捉《とら》えたら一発《いっぱつ》で仕留《しと》めて頂《ちょう》だいね……。カルバドス…」

カルバドスというのは、リンゴの蒸留酒《じょうりゅうしゅ》。ベルモットが電話《でんわ》をかけている相手《あいて》は、酒《さけ》の名前《なまえ》をコードネームに与《あた》えられた、黒《くろ》ずくめの組織《そしき》の一員《いちいん》なのだ。

ベルモットはカルバドスという男《おとこ》を呼《よ》びだして、いったい何《なに》をしようとしているのだろうか。黒《くろ》ずくめの組織《そしき》の影《かげ》は、コナンや灰原《はいばら》のすぐ近《ちか》くまで迫《せま》りつつあった——。

And the mysteries just keep coming.

★小学館ジュニア文庫★ ワクワク、ドキドキがいっぱいのラインナップ

〈大人気！「名探偵コナン」シリーズ〉

名探偵コナン　世紀末の魔術師
名探偵コナン　瞳の中の暗殺者
名探偵コナン　天国へのカウントダウン
名探偵コナン　迷宮の十字路
名探偵コナン　銀翼の奇術師
名探偵コナン　水平線上の陰謀
名探偵コナン　探偵たちの鎮魂歌
名探偵コナン　紺碧の棺
名探偵コナン　戦慄の楽譜
名探偵コナン　漆黒の追跡者
名探偵コナン　天空の難破船
名探偵コナン　沈黙の15分
名探偵コナン　11人目のストライカー
名探偵コナン　絶海の探偵
名探偵コナン　異次元の狙撃手
名探偵コナン　業火の向日葵
名探偵コナン　純黒の悪夢
名探偵コナン　から紅の恋歌
名探偵コナン　ゼロの執行人
名探偵コナン　紺青の拳
名探偵コナン　緋色の弾丸

名探偵コナン　ハロウィンの花嫁

名探偵コナン　黒鉄の魚影

ルパン三世VS名探偵コナン　THE MOVIE

名探偵コナン　江戸川コナン失踪事件 史上最悪の二日間
名探偵コナン　コナンと海老蔵 歌舞伎十八番ミステリー
名探偵コナン　エピソード"ONE" 小さくなった名探偵
名探偵コナン　紅の修学旅行

次はどれにする？　おもしろくて楽しい新刊が、続々登場!!

名探偵コナン　大怪獣ゴメラVS仮面ヤイバー

名探偵コナン　ブラックインパクト！　組織の手が届く瞬間

小説　名探偵コナン　CASE1〜4

名探偵コナン　安室透セレクション　ゼロの推理劇

名探偵コナン　安室透セレクション　ゼロの裏事情

名探偵コナン　怪盗キッドセレクション　月下の予告状

名探偵コナン　京極真セレクション　蹴撃の事件録

名探偵コナン　赤井秀一セレクション　赤と黒の攻防

名探偵コナン　赤井秀一緋色の回顧録セレクション　狙撃手の極秘任務

名探偵コナン　赤井一家セレクション　緋色の推理記録

名探偵コナン　世良真純セレクション　異国帰りの転校生

名探偵コナン　灰原哀セレクション　裏切りの代償

名探偵コナン　黒ずくめの組織セレクション　黒の策略

名探偵コナン　警察セレクション　命がけの刑事たち

まじっく快斗1412　全6巻

★小学館ジュニア文庫★ ワクワク、ドキドキがいっぱいのラインナップ

〈ジュニア文庫でしか読めないおはなし！〉

愛情融資店まごころ 全3巻
アイドル誕生！ ～こんなわたしがAKB48に!?～
アズサくんには注目しないでください！
あの日、そらですきをみつけた
いじめ 14歳のMessage
1話3分 こわい家、あります。
くらやみくんのブラックリスト 全3巻
おいでよ、花まる寮！
お悩み解決！ ズバッと同盟 全2巻
緒崎さん家の妖怪事件簿 全4巻
彼方からのジュエリーナイト！
彼方からのジュエリーナイト！ 怪盗ナインをつかまえたい！

華麗なる探偵アリス&ペンギン
華麗なる探偵アリス&ペンギン ワンダー・チェンジ！
華麗なる探偵アリス&ペンギン ミラー・ラビリンス
華麗なる探偵アリス&ペンギン サマー・トレジャー

華麗なる探偵アリス&ペンギン トラブル・ハロウィン
華麗なる探偵アリス&ペンギン ペンギン・パニック！
華麗なる探偵アリス&ペンギン ミステリアス・ナイト
華麗なる探偵アリス&ペンギン アリスVS.ホームズ！
華麗なる探偵アリス&ペンギン アラビアン・デート
華麗なる探偵アリス&ペンギン パーティ・パーティ
華麗なる探偵アリス&ペンギン ホームズ・イン・ジャパン
華麗なる探偵アリス&ペンギン ウィッチ・ハント！
華麗なる探偵アリス&ペンギン ファンシー・ファンタジー
華麗なる探偵アリス&ペンギン リトル・リドル・アリス
華麗なる探偵アリス&ペンギン ゴースト・キャッスル
華麗なる探偵アリス&ペンギン ウエルカム・ミラーランド
華麗なる探偵アリス&ペンギン ウィッシュ・オン・ザ・スターズ
華麗なる探偵アリス&ペンギン ダンシング・グルメ
華麗なる探偵アリス&ペンギン ペンギン・ウォンテッド！

華麗なる探偵アリス&ペンギン キャッツ・イン・ザ・スカイ

華麗なる探偵アリス&ペンギン スパイ・スパイ

ギルティゲーム 全6巻
銀色☆フェアリーテイル 全3巻
ぐらん×ぐらんぱ！ スマホジャック 全2巻
ここはエンゲキ特区！
さくら×ドロップ レシピ1：チーズハンバーグ
ちえり×ドロップ レシピ1：マカロニグラタン
みさと×ドロップ レシピ1：チェリーパイ
さよなら、かぐや姫 ～月とわたしの物語～
12歳の約束
女優猫あなご
白魔女リンと3悪魔 全10巻
世界中からヘンテコリン!? 世にも不思議なおみやげ図鑑 メキシコ&フィンランド編
世界の中心で、愛をさけぶ
絶滅クラス！ ～暴走列車から脱出しろ！～

次はどれにする？ おもしろくて楽しい新刊が、続々登場!!

★小学館ジュニア文庫★ ワクワク、ドキドキがいっぱいのラインナップ

〈みんな読んでる「ドラえもん」シリーズ〉

小説 映画ドラえもん のび太の宝島
小説 映画ドラえもん のび太の月面探査記
小説 映画ドラえもん のび太の新恐竜
小説 映画ドラえもん のび太の人魚大海戦

小説 映画ドラえもん のび太と奇跡の島

小説 映画ドラえもん のび太の宇宙英雄記

小説 映画ドラえもん のび太の南極カチコチ大冒険

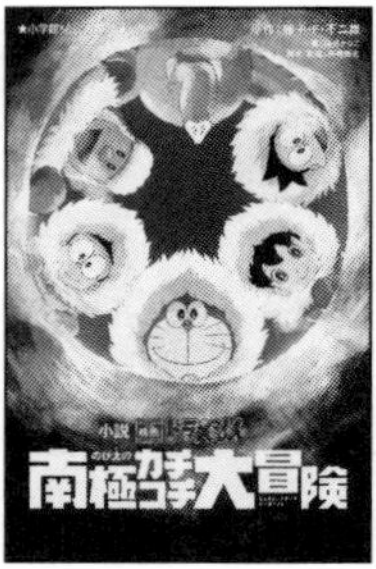

小説 映画ドラえもん のび太の宇宙小戦争 2021
小説 映画ドラえもん のび太と空の理想郷

小説 STAND BY ME ドラえもん

小説 STAND BY ME ドラえもん 2

ドラえもん 5分でドラ語り ことわざひみつ話
ドラえもん 5分でドラ語り 四字熟語ひみつ話
ドラえもん 5分でドラ語り 故事成語ひみつ話

〈大好き！　大人気まんが原作シリーズ〉

小説　アオアシ　全5巻

小説　青のオーケストラ　1

ある日　犬の国から手紙が来て
いじめ　全11巻
おはなし！　コウペンちゃん　全2巻
おはなし　猫ピッチャー　全2巻
学校に行けない私たち
思春期♡革命　～カラダとココロのハジメテ～　全8巻
12歳。アニメノベライズ　～ちっちゃなムネのトキメキ～

小説　二月の勝者　―絶対合格の教室―　春夏の陣
小説　二月の勝者　―絶対合格の教室―　秋の陣
小説　二月の勝者　―絶対合格の教室―　決戦開幕

人間回収車　全3巻
はろー!!　マイベイビー
はろー!!　マイベイビー2
はろー!!　マイベイビー3
はろー!!　マイベイビー4
ふなっしーの大冒険　きょうだい集結！梨汁ブシャーッに気をつけろ!!
ブラックチャンネル　動画クリエイターが悪魔だった件

〈背筋がゾクゾクするホラー＆ミステリー〉

恐怖学校伝説
恐怖学校伝説　絶叫怪談
こちら魔王110番！
リアル鬼ごっこ
ニホンブンレツ（上）（下）
ブラック

〈時代をこえた面白さ!!　世界名作シリーズ〉

小公女セーラ　家なき子
小公子セドリック　あしながおじさん
トム・ソーヤの冒険　赤毛のアン（上）（下）
フランダースの犬　ピーターパン
オズの魔法使い　宝島
坊っちゃん

次はどれにする？　おもしろくて楽しい新刊が、続々登場!!

Shogakukan Junior Bunko

★小学館ジュニア文庫★

名探偵コナン
灰原哀セレクション　裏切りの代償《ペナルティ》

2023年４月19日　初版第１刷発行

著／酒井 匙
原作・イラスト／青山剛昌

発行人／井上拓生
編集人／今村愛子
編集／杉浦宏依

発行所／株式会社　小学館
〒101-8001　東京都千代田区一ツ橋２－３－１
電話／編集　03-3230-5105
販売　03-5281-3555

印刷・製本／中央精版印刷株式会社

デザイン／石沢将人＋ベイブリッジ・スタジオ

Printed in Japan　　ISBN 978-4-09-231447-4